Contents

Introduction

1 **A l'hôtel** 6
Numbers; dates

2 **Au bar** 18
Comparison of adjectives and adverbs; nationalities and languages; countries

3 **Rendez-vous d'affaires (1)** 32
Imperfect Past Tense

4 **Rendez-vous d'affaires (2)** 42
Perfect Past Tense

5 **Au restaurant** 55
Pronouns

6 **Conversation téléphonique** 72
Future and Conditional Tenses

7 **Reparlons affaires** 86
Special uses of tenses; Use of *depuis*

8 **Au centre commerical** 96
Pluperfect, Conditional Perfect and Future Perfect Tenses; *celui-ci*, etc.

9 **Dîner chez des amis** 107
The Passive

10 **Lettre d'affaires** 119
The Subjunctive (1)

11 **Visite à l'usine** 140
The Subjunctive (2)

12 **La publicité et les média** 154

13 **Affaire conclue** 165

Petit Guide des Sigles 175

Verb Table 179

Vocabulary 183

Introduction

General aims

French for Business is a complete, self-contained post-GCSE course designed:

● to give students of various levels of achievement oral fluency in dealing with social, business and commercial situations

● to provide a thorough revision of essential grammar

● to extend comprehension to the point where the student can understand almost anything he or she is likely to read or hear in French

● to equip the student to deal with French commercial correspondence.

Target students/Examinations

French for Business is ideal for the new generation of full-time business courses which contain a French module and are now being offered in most establishments of further and higher education: BTEC, Export Management, Overseas Sales and Marketing, BA Business Studies, Secretarial Linguist, etc.. *French for Business* provides not only interesting and topical business material, but also a structured course, enabling teachers to prepare their classes for the variety of public commercial French examinations available. From our own experience and from information received the course is suitable for the following examination bodies and levels:

● RSA	levels 2 and 3
● LCCI	Secretarial Language Certificate and Advanced Secretarial Language Certificate; FLIC (Intermediate and Advanced)
● IOL	Advanced Certificate and Intermediate Diploma
● Oxford and Cambridge	AS Business French

French for Business will also provide relevant material for the growing number of VI formers not studying languages to A level but wishing to continue their French beyond GCSE under TVEI provision either through FLAW or some other recognised internal accreditation.

Distance learning/Open access

The cassette recordings, grammar explanations, verb tables, extensive vocabulary lists and, especially, the key answers (available separately), make *French for Business*, in its new form, a completely self-contained course ideally suited to the new delivery modes. The course is, therefore, eminently suitable for people in industry needing business French but unable to find the time to attend classes on a regular weekly basis. Experience has shown that with the help of the occasional 'back-up' tutorial, business people can work on the material independently.

Notes to the Third Edition

This revised, Third Edition of *French for Business*, building as it does on the success of the two previous editions, is an attempt to extend and improve what has clearly found favour with both students and teachers of business French over the last twelve years.

The course remains structured/grammatical in its approach, as experience has convinced us that it is unrealistic to expect students with approximately GCSE competence to cope without explanation and guidance with the full range of tenses, pronouns or the subjunctive, especially in a completely new register.

All chapters contain Sections A and B. All exercises in Section A are based on a recorded dialogue, encouraging students to practise important listening skills. Structural exercises in Section B develop oral and written skills, and include rôle-play, pairwork and interpreting tasks.

Each chapter contains a Reading & Reacting Section, based on authentic extracts from French newspapers and periodicals, maps, diagrams, tables and graphs on a variety of economic, commercial, social and cultural topics. The accompanying comprehension exercises are imaginative and varied; traditional comprehension questions in English have been avoided where possible.

This revised edition also includes a Verb Table, an expanded and updated Vocabulary and a useful *Petit Guide des Sigles* reference section listing and explaining frequently used acronyms.

A *Support Book and Cassette Set Pack*, with transcripts to the listening exercises, full Key to the exercises and two C80 cassettes is available separately.

French for Business Assignments, a separate but complimentary title by the same authors, has been developed for students on applied language courses as well as those already working in the international market place. The twelve assignments provide a wide selection of business situations and develop related language skills.

Pair work

Exercises marked with the ⌣⌣ symbol can be worked in pairs, one student playing rôle Ⓐ and the partner rôle Ⓑ. Rôles should be reversed at the half-way stage.

1 A l'hôtel

Mr Sanderson arrives at the hotel where he has reserved a room. The original reservation has, however, to be changed slightly.

Listen to the recorded dialogue and then answer the questions in Section A.

Vocabulaire

retenir	*to reserve*
épeler	*to spell*
se souvenir (de)	*to remember*
se tromper	*to be mistaken*
conduire	*to take, lead the way*
séjour (m)	*stay*
serviette (f)	*briefcase*
ascenseur (m)	*lift*
donner sur	*to overlook*
rez de chaussée (m)	*ground floor*
laisser	*to leave*
clé/clef (f)	*key*

section a *Qu'avez-vous compris?*

1 *Answer in English*

a How and when did Mr Sanderson make his original reservation?
b What changes does he now wish to make?
c On what day will he be leaving Paris?
d Where does he want to have breakfast?
e Where is the hotel bar located?

2 *Answer in French*

a Quelle sorte de chambre Mr Sanderson veut-il?
b Quelles nuits veut-il rester?
c Quand est-ce qu'il va quitter Paris?
d Où se trouve sa chambre?
e Comment est la chambre?
f Pourquoi la chambre est-elle très calme?
g Jusqu'à quelle heure sert-on le petit déjeuner à l'hôtel?
h Que fait le portier de la clé?
i Que souhaite-t-il à Mr Sanderson?

3 *Translate*

a What name is it?
b Do you want me to spell it?
c If I'm not mistaken.
d One more night.
e Two nights in all.
f That's correct.
g I can't see any reason why not.
h I hope you enjoy your stay, sir.
i What do you have in the way of luggage?
j Here we are. (*arriving*)
k It (f) overlooks the garden.
l Here you are. (*giving*)
m I have tea in the morning.
n Right you are, sir!
o At the end of the corridor.
p Have a nice evening!

Dialogue

Sanderson	Bonsoir madame. Jeudi dernier j'ai retenu par téléphone une chambre pour une personne avec douche.
Réceptionniste	Oui monsieur, *c'est à quel nom s'il vous plaît?*
Sanderson	Sanderson. *Voulez-vous que je l'épelle?* S-a-n-d-e-r-s-o-n.
Réceptionniste	Ah oui. Je crois que je me souviens du coup de téléphone. Vous voulez rester une nuit seulement, *si je ne me trompe pas?*
Sanderson	Je voudrais rester maintenant *une nuit de plus,* si c'est possible. C'est à dire *deux nuits en tout.* J'ai l'intention de quitter Paris mardi 6 octobre.
Réceptionniste	Alors vous comptez rester deux nuits, du 4 au 5 et du 5 au 6. C'est bien ça?
Sanderson	*C'est exact.*
Réceptionniste	D'accord, *je n'y vois pas d'inconvénient.* Chambre numéro 16. Le portier va vous y conduire. *Bon séjour, monsieur.*
Portier	*Qu'est-ce que vous avez comme bagages,* monsieur?
Sanderson	Ce sac de voyage et ma serviette.
Portier	Suivez-moi, s'il vous plaît. La chambre 16 est au premier étage, mais nous allons quand-même prendre l'ascenseur . . . . .
Sanderson	J'espère que c'est une chambre calme.
Portier	Oh oui, très calme, et très confortable. *Nous y voilà.* . . . . . Vous voyez, *elle donne sur le jardin,* donc il n'y a aucun bruit.
Sanderson	Merci bien. *Tenez!* (*He gives the porter a tip*.*)
Portier	Merci beaucoup monsieur. Au revoir monsieur et bon séjour!
Sanderson	Un instant, s'il vous plaît. A quelle heure servez-vous le petit déjeuner?
Portier	A partir de 07h 00 jusqu'à 09h 30.
Sanderson	Pouvez-vous m'appeler vers 06h 30, s'il vous plaît, et m'apporter le petit déjeuner dans ma chambre? *Je prends du thé le matin.*
Portier	*Entendu, monsieur.*
Sanderson	Une dernière chose. Pouvez-vous me dire s'il y a un bar dans cet hôtel.
Portier	Oui, monsieur, au rez de chaussée *au fond du couloir,* vous tournez à droite et c'est la deuxième porte à gauche, face à la réception.
Sanderson	Merci.
Portier	A votre service. Je laisse la clé sur la porte. *Bonne soirée* monsieur.

*pourboire (m)

section b *Exercises*

A *Qu'est-ce qu'il vous faut comme hôtel?*

Regardez le 'check-list de l'hôtel' et décidez!

Exemple: Vous ne voulez pas être loin des magasins et vous avez horreur des vieux hôtels . . .

Réponse: Il me faut un hôtel neuf en plein centre.

Now continue:

a Vous supportez très mal la chaleur et le bruit . . .
b Vous voulez écouter la bourse et pouvoir communiquer avec votre bureau . . .
c Vous cherchez un hôtel pour organiser une conférence d'affaires . . .

B C'était en quelle année?

Exemple: La fin de la deuxième guerre mondiale, c'était en quelle année?
Réponse: Je crois que c'était en dix-neuf cent quarante-six.

1946?

1963?

1988?

1986?

1972?

Now continue:

a L'entrée de la Grande Bretagne dans le Marché commun, c'était en quelle année?
b Les dernières élections présidentielles en France, c'était en quelle année?
c L'accord Mitterrand–Thatcher pour la construction d'un tunnel sous la Manche, c'était en quelle année?
d L'assassinat du Président Kennedy, c'était en quelle année?

C Spelling/Dates

You are helping out at a friend's hotel to note down the requirements of some French guests.

Listen to the first example and then complete the boxes for the other guests.

Name	Rooms	Dates	Breakfast				Early morning call
			EB	CB	BR	BD	
Buron (Mr)	1 single sh; WC	29 & 30 April		✓	✓		0730
a							
b							
c							

Key: brm = bathroom; sh = shower; EB = English breakfast; CB = continental breakfast; BR = breakfast in room; BD = breakfast in dining room.

D Times

The French visitors are checking that they have understood the times of the various services offered by the hotel. Answer their questions from the table below, using the twenty-four hour clock for their convenience.

Breakfast:	Dining room 6.30 a.m. – 9.30 a.m. Room 7.30 a.m. – 10.00 a.m.
Lunch:	12.15 p.m. – 2.30 p.m.
Dinner:	7.30 p.m. – 9.30 p.m.
Bar:	Weekdays open until 11.00 p.m.; Saturdays and Sundays until 11.30 p.m.

a Vous servez le petit déjeuner dans la salle de restaurant à partir de quelle heure?

b Et si on voulait prendre le petit déjeuner dans sa chambre?

c A quelle heure servez-vous le déjeuner?

d On veut dîner le plus tôt possible ce soir. Vous pouvez nous servir à quelle heure?

e Et normalement pour le dîner, le service dure jusqu'à quand?

f Quelles sont les heures d'ouverture de votre bar, s'il vous plaît?

F Alphabet/spelling

The person playing rôle B should turn to p.13 (Student's Book or Support Book) and the person playing rôle A should write down the name that is spelled out.

Exemple:

Ⓐ C'est à quel nom s'il vous plaît?

Ⓑ Voulez-vous que je l'épelle? D–U–R–A–F–O–U–R.

Ⓐ Voulez-vous répéter s'il vous plaît?

Ⓑ Volontiers, D–U–R–A–F–O–U–R.

Now continue:

G Days/months

Exemple:	arr.	dép.
	11/9	13/9

Ⓐ Vous arrivez le onze septembre et vous partez le treize septembre; c'est bien ça?

Ⓑ C'est exact. Donc je veux la chambre pour les nuits du onze et du douze septembre.

Now continue:

arr.	dép.	arr.	dép.	arr.	dép.	arr.	dép.
24/12	27/12	31/1	3/2	1/11	2/11	29/8	2/9

Rôle-play

Play the rôle of Mr Jones in the following dialogue. You arrive at the hotel where you have reserved a single room with bathroom for the nights of August 4 and 5, but you now wish to stay one night longer.

Réceptionniste Bonsoir monsieur. Vous désirez?

■ (You phoned a fortnight ago to reserve a single room.)

Réceptionniste Oui monsieur, c'est à quel nom, s'il vous plaît?

■ (Jones. Ask if she would like you to spell it.)

Réceptionniste Oui, s'il vous plaît. Je n'ai pas l'habitude des noms anglais.

■ (Spell your name and say you phoned on the 15th.)

Réceptionniste Merci bien. Un instant s'il vous plaît . . . Voilà, vous avez la chambre numéro 22.

■ (Ask if she needs to see your passport or if you have to sign anything.)

Réceptionniste Non, je n'en ai pas besoin. Vous restez deux nuits, n'est-ce pas?

■ (You would like to stay one more night if possible.)

Réceptionniste Je n'y vois pas d'inconvénient . . . Donc vous voulez maintenant rester jusqu'au sept, si je comprends bien?

■ (That's correct.)

Réceptionniste Pas de problème. Voulez-vous qu'on vous appelle demain matin?

■ (Yes please, at 0715. Can you have breakfast in your room at about 0745?)

Réceptionniste	Bien sûr, monsieur. Que prenez-vous au petit déjeuner?
	■ (Tea with milk)
Réceptionniste	Bien. Vous avez des bagages?
	■ (Just one suitcase and your briefcase.)
Réceptionniste	Le portier va vous les monter, si vous voulez.
	■ (Thank her and ask where the room is.)
Réceptionniste	Au deuxième étage, troisième porte à gauche.
	■ (Ask if there's a good restaurant nearby.)
Réceptionniste	Oui, il y en a un après le carrefour*.
	■ (Is it far from here?)
Réceptionniste	Non, pas très loin. En sortant de l'hôtel vous tournez à droite. Vous continuez tout droit jusqu'aux feux. C'est à environ deux cent mètres d'ici . . .
	■ (You'd better recap in French at this point. So it was right on leaving the hotel; straight on as far as the traffic lights, about two hundred metres from here.)
Réceptionniste	C'est ça. Aux feux, vous prenez la première rue sur votre gauche. Vous faites à peu près 50 mètres, et là vous avez un bon restaurant sur votre gauche qui s'appelle 'La Bonne Table'.
	■ (Recap again: first left at the lights, and it's fifty metres further on, on the left. Thank her and say good-bye.)
Réceptionniste	A votre service monsieur. Bonne soirée.

*crossroads

Written/spoken summary

With the help of the framework below, record or write a summary in French of the dialogue on p.8.

● Sanderson arrive à la réception (son nom, sa réservation, la durée de son séjour)
● portier (bagages, ascenseur, étage, numéro de la chambre, pourboire)
● chambre (confort, bruit, jardin)
● renseignements (heure du petit déjeuner, appel, bar)

F Alphabet/Spelling: names to be used by person playing rôle A.

Roquemont; Grilloux; Bagnolet; Deschamps; Taverby; Caumartin.

Grammar

1 Prepositions in expressions of time and place

a On

on Monday (no preposition in French): *lundi: le lundi*
on the third day: *le troisième jour*
on the 25th January: *le vingt-cinq janvier* (note the use of the cardinal number)
on the left: *à gauche* (but – on your left: **sur** *votre gauche*)
straight on: *tout droit*
on the first floor: **au** *premier étage*

b In

in September: **en** *septembre* (or **au mois de** *septembre*)
in 1960: **en** *mil neuf cent soixante*
in the hotel: **à** *l'hôtel*/**dans** *l'hôtel*

c From – to

from Monday to Wednesday: **du** *lundi* **au** *mercredi*
from 1958 to 1975: **de** *mil neuf cent cinquante-huit* **à** *mil neuf cent soixante-quinze*

2 Time by the clock

from 0600 to 0900: *de six heures à neuf heures*
                               entre six heures et neuf heures
at 7.30 a.m.: *à sept heures trente (du matin)*
about 8.00 p.m.: *vers huit heures (du soir)/à huit heures environ*
from 11.00 a.m.: *à partir de onze heures*
until midday: *jusqu'à midi*

3 Soir/soirée: matin/matinée; jour/journée; an/année

As a general rule the feminine form is used when considered as a span of time during which something may happen (as their use in English illustrates; e.g., a matinee performance is one which takes place during the early part of the day; a soirée is social evening party). Otherwise the masculine form is used.

a *Il y a sept **jours** dans une semaine.*
*Il a travaillé toute **la journée**.* (i.e. the daylight hours)

b *Tous les **soirs** il va chez sa sœur.*
*Hier il a passé **la soirée** chez sa sœur.* (i.e. the evening hours)

Note also the use of the feminine form in the following expressions:
l'année dernière – last year
l'année prochaine – next year
chaque année – each year (but *chaque jour* – each day)

4 *Present tense of* aller + *infinitive*

a Used as in English to express what is 'going' to happen:
*Je **vais rester** une nuit de plus* – I am going to stay one more night.
*Il ne **va** pas le **faire*** – He is not going to do it.

b Note also its use instead of the full future tense[1] to convey an immediate or imminent future action:
*Le portier **va** vous **conduire** à votre chambre* – The porter will show you to your room.
*Elle **va rentrer** à la maison dans la matinée* – She will be going home sometime this morning.

1 See chapter 6

5 *L'alphabet français*

A	B	C	D	E	F	G	H	I	J	K	L	M	N
Ah	bé	cé	dé	eux	eff	j'ai	ahsh	ee	j'y	kah	elle	emm	enne

O	P	Q	R	S	T	U	V	W	X	Y	Z
oh	pé	ku	erre	ess	té	u*	vé	doubl'vé	eeks	ee grec	zed

* as in **rue**

Reading & Reacting

A *Questionnaire*

You are Claude Richard, a fifty-five year-old French engineer from Lyon. You stayed at the ARCADE hotel from May 25–28 in room 636. You found the attitude of the staff only average, although the standard of comfort and quality of the fittings in your room were very high, even if it didn't meet your particular needs (being on the top floor when you had asked for a lower floor for health reasons!). The standard of service in the restaurant was pretty good and the food was excellent. However, in the bar before dinner on the first evening you had to wait fifteen minutes before being served.

Your overall observations could be summed up as: 'Quality and comfort very good, but staff attitude average'.

Complete all parts of the customer questionnaire below.

VOLET DETACHABLE
Faites-nous profiter
de votre expérience de clients
en remettant vos observations à la réception.

En vous consultant,
nous recherchons votre satisfaction.

Séjour du: _____   Chambre n° _____

	TRES BON	BON	MOYEN	MAUVAIS
L'ACCUEIL : qu'en pensez-vous ?				
LE CONFORT : l'utile vous est-il agréable ?				
LA CHAMBRE: répond-elle à votre usage?				
LE BAR : vous en reste-t-il une idéa ?				
LE RESTAURANT : l'accueil, le service ?				
LA CUISINE : l'avez-vous appréciée ?				

Observations: _____
_____
_____
_____
_____
_____
_____
_____
_____
_____
_____

Mentions facultatives:
Nom: _____ Prénom: _____ Age: _____
Profession: _____
Adresse: _____
_____

ARCADE PARIS
2, rue Cambronne
75740 PARIS cedex 15
Tél. (1) 45.67.35.20
Tel ex ARCAPAR 203 842

B Hôtels: marchandez le prix de vos chambres

From the information given in the article 'Hôtels: Marchandez le prix de vos chambres', answer the following questions in English.

a What three reasons are given for the hotel trade introducing such a variety of 'special offers'?

b Which hotels operate their own membership card or club system?

c Which two-star hotel gives the best car-hire deal?

d Give four examples of 'special interest' week-end stays offered by some hotels.

e Which three-star hotel gives the biggest reduction for week-end breaks?

f Which hotel gives the most favourable terms for a family with two children under the age of twelve?

g What are the advantages for a family with a nine-year-old child staying at LE MERIDIEN in Paris during the first week in August?

Hôtels: marchandez le prix de vos chambres

▲ Réductions en tout genre, forfaits attractifs ... A la suite d'une baisse sensible de la fréquentation, ces deux dernières années, l'industrie hôtelière met en œuvre des politiques tarifaires innovatrices. Celles-ci concernent toutes les catégories d'hôtels, et les stratégies sont peu ou prou identiques. D'abord, les enfants: leur hébergement est gratuit aussi bien au Hilton 4 étoiles que dans les hôtels Ibis. Puis, la fidélisation, avec l'octroi de cartes par certaines chaînes, Mercure ou Arcade notamment. Ces cartes permettent de bénéficier de réductions (de 10 à 30%) sur la nuitée – en semaine comme pendant le week-end –, voire sur la location d'un véhicule, avec la Carte Climat ou le Passeport Campanile.

Pour améliorer leur taux de remplissage hors saison ou attirer telle clientèle à tel moment creux, les hôtels 4 étoiles offrent des tarifs très préférentiels. Ainsi le Méridien, à Paris, accorde-t-il 50% de remise cet été. La chaîne Hilton module ses tarifs, en accord avec Air Inter, selon les périodes « bleu, blanc, rouge », grâce au forfait Passeport Air Inter. Enfin, pour répondre à l'essor du tourisme de court séjour, les chaînes hôtelières ont mis en place des forfaits week-end à thèmes: sports, culture, thalassothérapie, œnologie, gastronomie ... Les chaînes Mercure, Ibis, Sofitel, Novotel et Hilton proposent de telles formules. L'hôtellerie 4 étoiles luxe n'est pas en reste: le Plaza Athénée affiche des forfaits week-end avantageux de novembre à avril. *Pl.B.*

L'Expansion,
20 mai/2 juin 1988

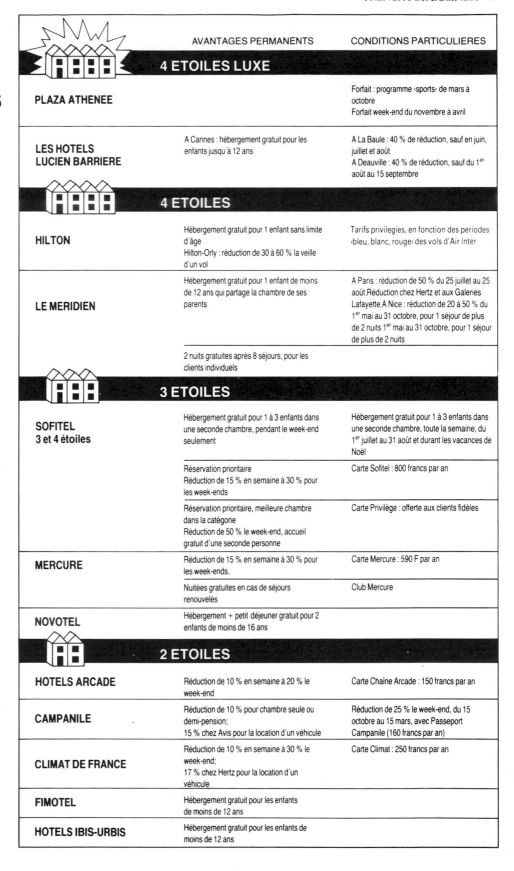

	AVANTAGES PERMANENTS	CONDITIONS PARTICULIERES
4 ETOILES LUXE		
PLAZA ATHENEE		Forfait : programme ‹sports› de mars à octobre Forfait week-end du novembre à avril
LES HOTELS LUCIEN BARRIERE	A Cannes : hébergement gratuit pour les enfants jusqu'à 12 ans	A La Baule : 40 % de réduction, sauf en juin, juillet et août A Deauville : 40 % de réduction, sauf du 1er août au 15 septembre
4 ETOILES		
HILTON	Hébergement gratuit pour 1 enfant sans limite d'âge Hilton-Orly : réduction de 30 à 60 % la veille d'un vol	Tarifs privilegies, en fonction des periodes ‹bleu, blanc, rouge› des vols d'Air Inter
LE MERIDIEN	Hébergement gratuit pour 1 enfant de moins de 12 ans qui partage la chambre de ses parents	A Paris : réduction de 50 % du 25 juillet au 25 août,Réduction chez Hertz et aux Galeries Lafayette,A Nice : réduction de 20 à 50 % du 1er mai au 31 octobre, pour 1 séjour de plus de 2 nuits 1er mai au 31 octobre, pour 1 séjour de plus de 2 nuits
	2 nuits gratuites après 8 séjours, pour les clients individuels	
3 ETOILES		
SOFITEL 3 et 4 étoiles	Hébergement gratuit pour 1 à 3 enfants dans une seconde chambre, pendant le week-end seulement	Hébergement gratuit pour 1 à 3 enfants dans une seconde chambre, toute la semaine, du 1er juillet au 31 août et durant les vacances de Noël
	Réservation prioritaire Réduction de 15 % en semaine à 30 % pour les week-ends	Carte Sofitel : 800 francs par an
	Réservation prioritaire, meilleure chambre dans la catégorie Réduction de 50 % le week-end, accueil gratuit d'une seconde personne	Carte Privilège : offerte aux clients fidèles
MERCURE	Réduction de 15 % en semaine à 30 % pour les week-ends.	Carte Mercure : 590 F par an
	Nuitées gratuites en cas de séjours renouvelés	Club Mercure
NOVOTEL	Hébergement + petit déjeuner gratuit pour 2 enfants de moins de 16 ans	
2 ETOILES		
HOTELS ARCADE	Réduction de 10 % en semaine à 20 % le week-end	Carte Chaîne Arcade : 150 francs par an
CAMPANILE	Réduction de 10 % pour chambre seule ou demi-pension; 15 % chez Avis pour la location d'un véhicule	Réduction de 25 % le week-end, du 15 octobre au 15 mars, avec Passeport Campanile (160 francs par an)
CLIMAT DE FRANCE	Réduction de 10 % en semaine à 30 % le week-end; 17 % chez Hertz pour la location d'un véhicule	Carte Climat : 250 francs par an
FIMOTEL	Hébergement gratuit pour les enfants de moins de 12 ans	
HOTELS IBIS-URBIS	Hébergement gratuit pour les enfants de moins de 12 ans	

2 Au bar

(Reproduced by permission of Punch.)

Mr Sanderson strikes up a conversation with a Frenchman in the bar of the hotel.

Listen to the recorded dialogue and then answer the questions in Section A.

Vocabulaire

avoir du feu	*to have a light*
ambiance (f)	*atmosphere*
habitué (e)	*regular (customer)*
faire la connaissance (de qn.)	*to meet/make the acquaintance of (sbdy)*
faire des progrès	*to make progress/improve*
en tout cas	*in any case*
métier (m)	*job, occupation*
service (m) des exportations	*export department**
SOLPEX/SONA	*(two fictitious names of companies used in this and subsequent dialogues)*
établissements (m.pl.)	
entreprise (f)	*company/firm***
sociéte (f)	
expert comptable (m)	*chartered accountant*
ouvrier (ère)	*worker*
pièces (f)	*parts*
siège social (m)	*headquarters/head office (of company)*
succursale (f)	*branch establishment*
filiale (f)	*subsidiary company*
CEE (Communauté économique européenne)	*EEC*

agricole	*agricultural*
littoral (m)	*coast*
campagne (f)	*countryside*
lande (f)	*moor*
en province	*in the provinces*
offrir un verre (à qn)	*to offer (sbdy) a drink*
Manche (f)	*Channel*

*   see p.?
** note also: firme (f); maison (f)

section a   *Qu'avez-vous compris?*

1 Answer in English

a According to M. Dubois, how does Mr Sanderson's French compare with M. Dubois' English, and what reason does Mr Sanderson give for this?
b What is Mr Sanderson's job?
c From which part of England does Mr Sanderson come, and what three things are said about the area?
d What does Monsieur Dubois say about whisky?

2 Answer in French

a Comment s'appelle le Français au bar? Comment s'écrit son nom?
b Que fait-il dans la vie?
c Pourquoi Mr Sanderson parle-t-il si bien le français?
d Que fabrique la firme de Monsieur Dubois?
e Comment savez-vous que SONA est une maison importante?
f Est-ce que le Devon et la Cornouailles sont uniquement des régions touristiques?
g Il y a combien d'habitants à Plymouth?
h Dartmoor, qu'est-ce que c'est?
i Que prennent les deux hommes à boire?
j Que prenez-vous d'habitude?

3 Translate

a Do you have a light?
b Yes please (accepting offer).
c It's very crowded.
d So it seems.
e I come here occasionally.
f Pleased to meet you.
g You speak very good French.
h I improve each time.
i What do you do for a living?
j Perhaps you've heard of it?
k We make spares for the motor industry.
l The company has its head office in Paris.
m Branches throughout France.
n It's one of the most popular holiday areas.
o Let me get you a drink.
p On this side of the Channel.

Dialogue

Dubois	Pardon monsieur, *vous avez du feu?*
Sanderson	Bien sûr, je vous en prie . . . . . . voilà.
Dubois	Merci. Vous voulez une cigarette?
Sanderson	Oui, *volontiers. Il y a beaucoup de monde* ce soir, n'est-ce pas?
Dubois	Quelquefois c'est pire, mais en général l'ambiance est assez sympathique.
Sanderson	Oui, *ça a l'air.* Vous êtes un habitué?
Dubois	*J'y viens de temps en temps.* A propos je m'appelle Dubois – Marc Dubois.
Sanderson	John Sanderson – je suis anglais – *enchanté de faire votre connaissance.*
Dubois	Enchanté. Mais dites-moi, *vous parlez très bien le français!*
Sanderson	Pas vraiment, mais comme je viens souvent en France, *je fais chaque fois des progrès*, et je parle de mieux en mieux.
Dubois	Votre français est bien meilleur que mon anglais en tout cas. Vous voyagez beaucoup alors? Vous devez avoir un métier plus intéressant que le mien!
Sanderson	Je suis chef du service des exportations des établissements SOLPEX qui a sa base en Angleterre. En effet, je voyage beaucoup. Et vous, *qu'est-ce que vous faites dans la vie?*
Dubois	Je suis expert–comptable dans une grande entreprise qui emploie plus de 5,000 ouvriers – SONA. *Vous en avez peut–être entendu parler? Nous fabriquons des pièces pour l'industrie automobile. Notre société a son siège social à Paris* et *des succursales dans toute la France*, et même plusieurs filiales à l'étranger, dans les pays membres de la CEE. Vous habitez Londres?
Sanderson	Non, j'habite un coin bien plus joli mais un peu moins connu à l'étranger, le sud-ouest de l'Angleterre, dans le Devon, à côté de Plymouth.
Dubois	Le Devon et la Cornouailles c'est plutôt agricole et touristique, n'est-ce pas?
Sanderson	Oui, vous avez raison, et *c'est un des coins de vacances les plus populaires* pour la plupart des Britanniques. Cependant quelques industries se sont installées dans les environs des villes principales.

Dubois	Il y a combien d'habitants à Plymouth?
Sanderson	A peu près 250,000. Ce n'est pas très grand. Tout autour la campagne est très belle; il y a la lande de Dartmoor toute proche, qui est un parc national. Il y a aussi tous les plaisirs du littoral. J'estime que j'ai de la chance de vivre en province, car la vie y est plus agréable.
Dubois	Je n'en doute pas. *Laissez-moi vous offrir un verre.* Qu'est-ce que vous prenez?
Sanderson	Un whisky, s'il vous plaît. Est-ce bien vrai qu'il est moins cher en France qu'en Angleterre?
Dubois	Je ne sais pas s'il est meilleur marché, mais de toutes vos exportations c'est certainement la plus appréciée *de ce côté-ci de la Manche* . . . . . . Garçon, deux whisky, s'il vous plaît!

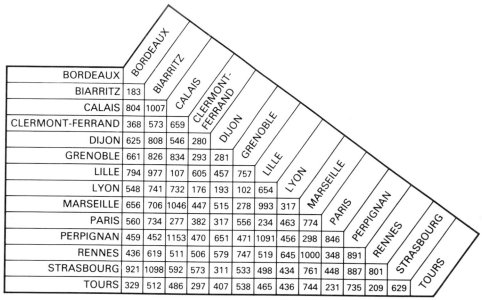

	BORDEAUX	BIARRITZ	CALAIS	CLERMONT-FERRAND	DIJON	GRENOBLE	LILLE	LYON	MARSEILLE	PARIS	PERPIGNAN	RENNES	STRASBOURG	TOURS
BORDEAUX														
BIARRITZ	183													
CALAIS	804	1007												
CLERMONT-FERRAND	368	573	659											
DIJON	625	808	546	280										
GRENOBLE	661	826	834	293	281									
LILLE	794	977	107	605	457	757								
LYON	548	741	732	176	193	102	654							
MARSEILLE	656	706	1046	447	515	278	993	317						
PARIS	560	734	277	382	317	556	234	463	774					
PERPIGNAN	459	452	1153	470	651	471	1091	456	298	846				
RENNES	436	619	511	506	579	747	519	645	1000	348	891			
STRASBOURG	921	1098	592	573	311	533	498	434	761	448	887	801		
TOURS	329	512	486	297	407	538	465	436	744	231	735	209	629	

section b *Exercises*

A *Regions/points of the compass*

Using the information from each of the boxes below, describe the following towns or regions as fully as possible:

Manchester; la Côte d'Azur; Hambourg; Brighton; Milan; le Devon; le Bordelais; Cardiff.

| ville
région
station
port | agricole
industriel(le)
viticole
balnéaire
touristique | 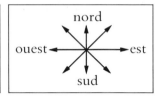 | Angleterre
France
Italie
Allemagne
Fédérale
Pays de Galles |

Exemple: Manchester? C'est une ville industrielle dans le nord-ouest de l'Angleterre.

Now continue.

B *Countries/size comparisons*

Read the following text, and then list the countries mentioned in order of size, giving the surface area where possible.

Order	Country	Surface Area in km^2
1		
2		
3		
4		
5		
6		
7		
8		

Avec ses cinq cent cinquante mille kilomètres carrés la France est quatorze fois moins grande que les Etats Unis. Elle tiendrait dix-sept fois dans la Chine et quarante fois dans l'URSS.

A l'échelle européenne pourtant, la France arrive en tête étant plus grande que l'Espagne (cinq cent quatre mille kilomètres carrés), l'Allemagne Fédérale (deux cent quarante-huit mille kilomètres carrés) et l'Allemagne de l'Est (cent huit mille kilomètres carrés). La Grande Bretagne, avec ses deux cent quarante-quatre mille kilomètres carrés est moitié moins grande.

C Countries/languages/comparison of adverbs

Personnel	✔ = souvent ✘ = rarement	Pays
directeur	✔	F
ingénieurs	✘	D
a mécaniciens	✔	I
b secrétaire	✘	NL
c collègue	✘	S
d expert-comptable	✔	E
e représentants	✔	P
f chef du service des exportations	✘	USA

parler	✔ = de mieux en mieux ✘ = de moins en moins bien	langue

Exemple:

Ⓐ Votre directeur va souvent en France, n'est-ce pas?

Ⓑ Oui, et par conséquent il parle de mieux en mieux le français.

Ⓐ Vos ingénieurs vont rarement en Allemagne Fédérale, n'est-ce pas?

Ⓑ Oui, et par conséquent ils parlent de moins en moins bien l'allemand.

Now continue.

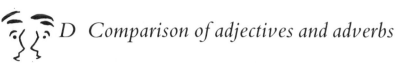

D Comparison of adjectives and adverbs

Using the information given below, Student A compares the country with the town, and Student B compares the town with the country.

Ⓐ	Ⓑ

A la campagne	**En ville**
la vie ● calme ● saine ● bon marché	● monotone ● agréable ● mouvementée
les gens ● sympathiques ● pressés ● se porter ● s'énerver	● surmenés ● polis ● sortir ● aller au cinéma/théâtre
l'air ● pur ● pollué	● sale ● frais

Exemple: Ⓐ La vie est plus calme à la campagne qu'en ville.
        Ⓑ La vie est moins monotone en ville qu'à la campagne.

Now continue.

E Nationalities/superlatives

a *Match the activity listed in the left-hand column below with the inhabitants of the country in the right-hand column who do the activity superlatively.*
b *Find an activity which the inhabitants of each of the two 'spare' countries do superlatively.*

● parler vite ● parler mal les langues étrangères ● voyager beaucoup ● manger bien ● travailler dur ● apprécier le whisky ● parler beaucoup de langues étrangères	● Ecosse ● Japon ● France ● Angleterre ● Etats-Unis ● Pays de Galles ● Italie ● Suisse ● Chine

Exemple: Ce sont les Italiens qui parlent le plus vite.

Now continue.

F Comparison of adjectives and adverbs

Complete the statement in the right-hand column to make it mean the same as the statement in the left-hand column, as in the first example.

a	Monsieur Dubois parle moins bien l'anglais que Mr Sanderson le français.	Mr Sanderson parle mieux le français que Monsieur Dubois l'anglais.
b	Mr Sanderson vient plus souvent en France que ses collègues.	Les collègues de Mr Sanderson . . .
c	La campagne est belle en Angleterre, mais pas plus qu'en France.	La campagne en France . . .
d	Il n'y a pas beaucoup d'industries dans le sud-ouest de l'Angleterre comparé au nord qui est très industriel.	Le nord de l'Angleterre . . .
e	En Angleterre tous les alcools sont beaucoup plus chers qu'en France.	Les alcools en France . . .

G Superlatives/word order

Exemple: Ces cigarettes sont très chères . . .
Rèponse: Ce sont les cigarettes les plus chères que je connaisse.

Now continue:

a Cette voiture est très petite . . .
b Ce bar est très grand . . .
c Ces prix sont très bas . . .
d Cette boisson est très bonne . . .
e Ce pays n'est pas très apprécié . . .
f Ce coin n'est pas très populaire . . .

 Rôle-play

You are in Paris on business, and you strike up a conversation with a Frenchman who asks you for a light.

- Pardon, monsieur, vous avez du feu?

- (Say you're sorry but you don't smoke.)

- Vous avez raison. C'est une très mauvaise habitude! Vous n'êtes pas d'ici?

- (Introduce yourself, giving your name and nationality.)

- Enchanté de faire votre connaissance. Raoul, Dominique Raoul.

- (You're pleased to meet him.)

- Vous êtes de passage à Paris? . . . en touriste ou pour affaires?

- (You are here on business.)

- Vous parlez couramment le français je vois.

- (Not fluently, but you come to France often and your French keeps improving.)

- Vous voyagez beaucoup dans votre métier?

- (Yes. You are in the Export Dept. of a small company based in Taunton in Somerset in the south-west of England. It's a subsidiary of an American company, making parts for the aircraft industry[1]. Your subsidiary supplies[2] EEC countries. Ask what he does for a living?)

- Je suis expert-counseil en publicité. Je travaille à mon compte.

- (Ask if he speaks English.)

- Malheureusement non. Je le comprends un peu, mais parler c'est beaucoup plus difficile! Vous êtes originaire de quelle région en Angleterre?

- (Give details of the town/area you come from, giving the number of inhabitants and saying whether it is industrial, agricultural, etc.)

- Et Taunton? C'est bien comme ville?

- (Say Somerset is a beautiful area and Taunton is a fine historic town. You like living there.)

- Quant à moi, j'habite Paris et je trouve la vie ici de plus en plus pénible. On se sent vite surmené[3] dans les grandes villes.

- (You agree. Life in the provinces is much more pleasant. Offer him a drink.)

- Oui, volontiers, je prends un cognac – merci bien. Je suppose que vous aimez mieux le whisky, n'est-ce pas?

- (You're going to have a small beer[4] and say that beer is your national drink[5] in England. It's a lot cheaper than whisky!)

1 industrie aéronautique (f)
2 fournir
3 surmené *under stress*
4 un demi
5 boisson (f)

Written/spoken summary

With the help of the framework below, record or write a summary of the dialogue on pp. 20–21.

- Mr Sanderson au bar.
- sa rencontre (avec qui? comment?)
- le Français (un habitué? sa situation?)
- Mr Sanderson (son français? pourquoi?)
- la SONA (importance? internationale? produit?)
- le pays de Mr Sanderson (où? ce qu'il en pense?)
- le whisky (la remarque du Français.)

Grammar

1 Comparison of adjectives and adverbs

Regular	Positive	Comparative		Superlative	
Adjective (agreement)	*grand(e)(s)*	*moins grand(e)(s)* *aussi* *plus*	*que*	*le/la/les plus grand(e)(s)* *moins*	*de*
Adverb (no agreement)	*vite*	*moins vite* *aussi* *plus*	*que*	*le plus vite* *moins*	
Irregular Adjective	*bon(ne)(s)* *mauvais(e)(s)*	*moins bon(ne)(s)* *aussi bon(ne)(s)* *meilleur(e)(s)* *moins mauvais(e)(s)* *aussi mauvais(e)(s)* { *plus mauvais(e)(s)* { *pire(s)*	*que* *que*	*le/la/les moins bon(ne)(s)* *le/la/les meilleur(e)(s)* *le/la/les moins mauvais(e)(s)* { *le/la/les plus mauvais(e)(s)* { *le/la/les pire(s)*	*de* *de*
Adverb	*bien* *mal*	*moins bien* *aussi bien* *mieux* *moins mal* *aussi mal* *plus mal*	*que* *que*	*le moins bien* *le plus mal*	*de* *de*

*Ce pays est **moins grand que** la France* – This country is *not as big as* France.
*Ils parlent **aussi vite que** les Italiens* – They speak *just as quickly as* the Italians.
*C'est le **meilleur** joueur* – He's the *best* player. (adj.), but
*C'est lui qui joue **le mieux*** – He plays *best*. (adv.)

2 Position of adjective in comparative and superlative forms

Before or after the noun as in the positive form, e.g.,
la **bonne** cuisine   la **meilleure** cuisine du monde
les voitures **chères**   les voitures **les plus chères** du monde

3 Nationality/language

a Capital initial letter for *country and inhabitant* when preceded by article:
Le **Français** que j'ai rencontré en Italie, but
Mon ami est **français.**
b Small initial letter for *language and adjective:*
Dans beaucoup de villes **suisses** on comprend le **français** et l'**allemand.**
c Definite article with the language in the majority of cases:
Le russe est plus difficile que l'**italien..**
Il comprend l'**espagnol** et le **portugais.**

But: *Il parle* **français.** The article is only used with *parler* when an adverb is present, e.g.:

Il parle bien	**le** français.
très bien	l'anglais.
mal	**le** russe.
très mal	
couramment	

4 Country/county

a Most countries are feminine and are usually preceded by the definite article:
La France est mon pays préféré.
Il visite souvent l'Espagne.
L'Italie et **la** Grèce sont des pays touristiques.
Note the exception to the rule with 'returning':
Il rentre **de** France.
Elle revient **d'**Angleterre.
'In' or 'to' are expressed by *en* when the country is feminine:
J'ai passé une année **en** France.
Il va chaque année **en** Allemagne.

but note: **le** Portugal, **le** Japon, **les** Etats Unis and **au (aux)** when masculine: *ils sont allés* **au** Portugal
elle travaille **aux** Etats Unis

b With the exception of Cornwall (*la Cornouailles*), English counties are masculine singular:

Le Devon est magnifique.
Le plus grand comté de l'Angleterre c'est le Yorkshire.
Je passe mes vacances dans le Kent (en Cornouailles).
Les spécialités du Somerset (de la Cornouailles).

Reading & Reacting

Faced with ever-increasing costs and the impossibility of expansion if they remain in the Paris region, more and more French companies are moving away from the capital. As a result, some enterprising provincial city councils are investing in publicity campaigns to promote their cities in an effort to attract these firms.

Typical of such publicity literature is the article below, on ROUEN.

A Rouen

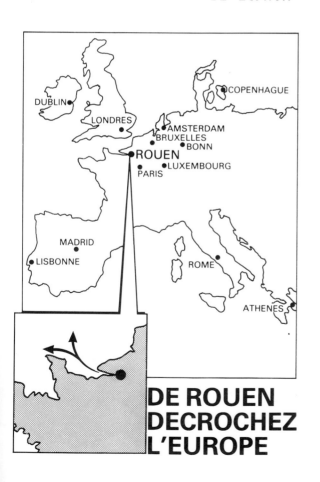

DE ROUEN DECROCHEZ L'EUROPE

ROUEN UNE VILLE CAPITALE

CAPITALE! Rouen l'est géographiquement. Les voies maritimes, fluviales, routières, ferroviaires convergent vers elle.

CAPITALE MARITIME! Rouen l'est par son port, le seul français majoritaire à l'exportation, le premier européen exportateur de céréales, le plus fort potentiel de fret: 66 millions de tonnes dans son hinterland.

CAPITALE INDUSTRIELLE! Rouen l'est par la puissance et la diversité de ses activités: fait rare, tous les secteurs sont présents dans la région, de l'aéronautique à l'automobile, de la pharmacie à l'électronique, du nucléaire à la pétrochimie, de l'agro-alimentaire à l'habillement. Ce n'est donc pas un hasard si la région de Rouen est l'une de celles qui attirent le plus en France, les capitaux étrangers.

CAPITALE INTELLECTUELLE ET TERTIAIRE! Rouen l'est avec son université, ses laboratoires de pharmacologie, de matériaux, d'aérothermochimie, de chimie organique fine. Rouen l'est aussi avec ses sociétés leaders dans les secteurs des assurances et des transports.

CAPITALE CULTURELLE ET DE LOISIRS! Rouen l'est par son patrimoine artistique. Rouen est à une heure de Paris et à quelques minutes de la mer. Rouen offre toutes les dimensions d'une ville capitale, celle des affaires et des loisirs.

ROUEN: LA TERRE, LA MER, LA FORCE, L'AVENIR

1 True or false?

a Rouen is only one hour away from Paris.
b Rouen is France's main port for exports.
c Rouen attracts more foreign capital than any other French city outside Paris.
d Rouen is one of France's leading ship–building centres.
e Rouen is a centre for food processing.

2 Answer in English

a Name six manufacturing industries centred around Rouen.
b Name three fields in which laboratory research is being carried out.
c Name two service sectors which are prominent around Rouen.

3 Give the French for:

a river –, rail – and roadway
b leading companies
c business and leisure

B Touristes à Paris

What do the following figures represent:

a 921 francs?
b 45%
c 327 francs?
d 208 francs?
e 6%
f 36%

Touristes à Paris: le Nippon prodigue

▲ Les dépenses des Japonais en vacances à Paris sont en moyenne 2,5 fois supérieures à celles des Allemands. C'est l'un des enseignements d'une enquête réalisée par la Direction des industries touristiques (DIT). Le type de dépense des touristes étrangers à Paris varie fortement selon le pays d'origine. Ainsi, le Japonais consacre 45% de son budget à l'achat de souvenirs, le Belge 1% seulement. A l'inverse, le restaurant représente 12% des frais du Japonais, contre 36% pour le Belge.

Globalement, c'est l'hébergement qui absorbe la plus grosse part des budgets: sur 921 francs en moyenne par jour et par personne, le touriste débourse 327 francs (36%) pour payer sa note d'hôtel, 204 francs (22%) pour régler ses additions dans les restaurants, 208 francs (23%) pour acheter des souvenirs, et seulement 57 francs (6%) pour sortir (spectacles, cinémas ou visites de musées . . .). *A.F.*
●

Pays d'origine	Dépense par jour et par personne en francs
Source: DIT	
Japon	**1 622**
USA-Canada	**985**
Suisse	**983**
Italie	**945**
Royaume-Uni-Irlande	**917**
Mexique-Amérique latine	**784**
Espagne	**775**
Pays-Bas	**748**
Belgique-Luxembourg	**680**
RFA	**638**
Ensemble (moyenne)	**921**

L'Expansion 15 avril/5 mai 1988

3 Rendez-vous d'affaires (1)

Mr Sanderson arrives a little early for his appointment with Madame Legrand, but is well looked after by her secretary.

Listen to the recorded dialogue and then answer the questions in Section A.

Vocabulaire	rendez-vous (m)	*appointment*
	en avance	*early*
	occupé	*busy*
	retard (m)	*delay*
	décollage (m)	*take-off*
	brouillard (m)	*fog*
	grève (f)	*strike*
	personnel au sol (m)	*airport ground staff*
	augmentation (f) de salaire	*pay increase*
	hausse (f) des prix	*price rise*
	coût (m) de la vie	*cost of living*
	élevé	*high (of prices, rates, etc.)*
	(s')améliorer	*to improve*
	moyen (m)	*method, way*
	banlieue (f)	*suburb(s)*
	suivre des cours (de)	*to take courses (in)*
	sténographie (f)	*shorthand*
	dactylographie (f)	*typing*
	lycée technique (m)	*technical/further education college*
	faire de bonnes affaires	*to find bargains*
	occidental	*western*
	taux (m)	*rate*
	baisser	*to fall/drop*
	prévenir	*to warn/let know*
	se déranger	*to disturb/trouble oneself*

section a *Qu'avez-vous compris?*

1 Answer in English

a At what time is Mr Sanderson's appointment with Madame Legrand?
b What problems were there at London Airport and how was his flight effected?
c For what reason did the secretary visit England?
d What does she remember about prices at the time?
e At what time does she let Mme Legrand know that Mr Sanderson has arrived?

2 Answer in French

a De quoi Mr Sanderson s'excuse-t-il en arrivant?
b Pourquoi Madame Legrand ne peut-elle pas recevoir Mr Sanderson tout de suite?
c Que propose la secrétaire à Mr Sanderson en attendant?
d Pourquoi y avait-il du retard au décollage?
e Pourquoi les employés étaient-ils en grève?
f Pourquoi la secrétaire était-elle à Londres?
g Qu'achetait-elle à Londres? Pourquoi?
h Maintenant qu'il est onze heures moins cinq, que va faire la secrétaire?

3 Translate

a Allow me to introduce myself.
b I have an appointment at 11h00.
c I'm sorry I'm a little early.
d Do you mind if I smoke?
e Please do!
f Did you have a good trip?
g Because of the fog?
h The cost of living wasn't as high.
i Everything was cheap.
j A few years ago.
k I attended lectures.
l In those days you could find bargains.
m The rate of inflation is falling.
n The economic situation is improving.
o I'll let Madame Legrand know you're here.

Dialogue

Secrétaire Bonjour monsieur.

Sanderson Bonjour mademoiselle. *Permettez-moi de me présenter*. Je suis John Sanderson des Etablissements SOLPEX de Londres, et *j'ai rendez-vous* avec Madame Legrand *à 11h00. Je m'excuse d'arriver un peu en avance* mais . . . . .

Secrétaire Ça ne fait rien, Monsieur Sanderson. Asseyez-vous, je vous en prie. Madame Legrand ne peut pas vous recevoir tout de suite; elle est occupée jusqu'à 10h45, mais en attendant voulez-vous prendre une tasse de café?

Sanderson Oui, volontiers. *Vous permettez que je fume?*

Secrétaire *Je vous en prie. Vous avez fait bon voyage*, Monsieur Sanderson?

Sanderson Oui, je vous remercie, très bon, à part un peu de retard au décollage.

Secrétaire Pourquoi? *A cause du brouillard?*

Sanderson Non, à cause d'une grève du personnel au sol.

Secrétaire Et pour quelle raison les employés étaient-ils en grève?

Sanderson Oh, vous savez, comme d'habitude – afin d'obtenir une augmentation de salaire pour compenser la hausse des prix.

Secrétaire C'est pareil chez nous. Mais je croyais que *le coût de la vie était moins élevé* en Angleterre qu'en France. Je me rappelle que quand j'étais à Londres *tout était bon marché* chez vous comparé à la France.

Sanderson Vous connaissez mon pays alors?

Secrétaire Oui, *il y a quelques années* quand j'étais étudiante je voulais améliorer mon anglais, et le meilleur moyen était, bien entendu, de faire un séjour linguistique dans le pays. Je logeais dans une famille dans la banlieue de Londres et *je suivais des cours* de sténographie, de dactylographie, et d'anglais bien sûr, dans un lycée technique. *A cette époque on pouvait faire de bonnes affaires* . . . je me rappelle, j'achetais des pullovers. Ils étaient tellement meilleur marché!

Sanderson Si vous voyiez les prix maintenant! . . . . . ., ils ont énormément augmenté depuis cette époque-là.

Secrétaire Et pourtant on nous affirme que dans les pays occidentaux *le taux d'inflation baisse* et que *la situation économique s'améliore* . . . . . Ah, mais je vois qu'il est 10h55, *je vais prévenir Madame Legrand de votre arrivée*. Ne vous dérangez pas, vous avez le temps de finir votre café!

section b *Exercises*

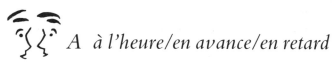 *A à l'heure/en avance/en retard*

Exemple:

	heure d'arrivée	heure de rendez-vous
1	10h00	10h00
2	09h15	09h00

1 Ⓐ Il est dix heures et votre rendez-vous est à dix heures, je crois?
   Ⓑ Oui, je suis à l'heure, n'est-ce pas.
2 Ⓐ Il est neuf heures quinze et votre rendez-vous était à neuf heures, je crois?
   Ⓑ Oui, je suis un peu en retard, n'est-ce pas.

Now continue:

	heure d'arrivée	heure de rendez-vous
a	16h30	16h15
b	10h45	11h00
c	15h15	15h15
d	08h45	09h00
e	13h40	13h30

B *Imperfect in 'if' clauses*

Exemple: Est-ce qu'il *parle* français?
Réponse: Ah, si seulement *il parlait* français!

Now continue:

a Est-ce que vous *avez* une réservation? (singular)
b Est-ce qu'elle *est* en bonne santé?
c Est-ce que vous *pouvez* venir? (plural)
d Est-ce qu'il y *a* des séjours linguistiques?
e Est-ce qu'il *veut* apprendre une autre langue?
f Est-ce qu'elles *font* ce qu'on leur *dit*?

C   Imperfect (state of affairs at a given time in the past)

La matinée de Monsieur Mercier

Monsieur Mercier est directeur d'une entreprise commerciale à Lyon. Que *faisait-il* hier matin aux heures indiquées?

Exemple: Entre neuf heures et neuf heures dix *il consultait* son agenda.

Now continue.

	09h00 – 09h10	consulter agenda
	09h00 – 09h10	consulter agenda
a	09h10 – 09h30	lire courrier
b	09h35 – 10h30	s'occuper d'affaires urgentes
c	10h30 – 10h45	prendre pause-café
d	10h45 – 11h25	s'entretenir avec ses chefs de service
e	11h25 – 12h00	recevoir client
f	12h00 – 14h00	restaurant/déjeuner avec client

D   Imperfect (habitual/repeated actions)

Student A *is conducting a survey for a travel magazine on how European businessmen travelled between their respective countries during the seventies. One of the people he interviews is Monsieur Mantin, a Parisian business man. Student* B *answers for M. Mantin.*

Work out a dialogue based on the information given below.

Exemple: A Monsieur Mantin, pour qui *travailliez-vous* à l'époque?
B Je *travaillais* à l'époque pour la Société METALLO à Paris.

Now continue:

A	B
.... ?	à l'époque/travailler/Société METALLO/Paris
a .... ?	aller/souvent/Angleterre
b .... ?	partir/très tôt/ matin/Gare du Nord
c .... ?	très bon service tous les jours/Paris-Boulogne par Amiens
d .... ?	arriver/Boulogne/10h30

e	.... ?	aéroglisseur/traversée/durer/40 minutes/Folkestone
f	.... ?	prendre/train/Charing Cross/12h30
g	.... ?	manger/arriver/Londres
h	.... ?	pas beaucoup de temps/premier rendez-vous 14h30

E *Imperfect in indirect speech*

You are working for a French company in their Paris headquarters. Your boss, Mademoiselle Mondière, is away on business for a few days and has instructed you to take any phone messages for her. The switchboard puts through a call from a Monsieur Joussein in Brest.

From the notes you managed to take (see below) compose a memo in French for Mlle Mondière, giving her the details of M. Joussein's message.

regretter – obligé de repousser visite du 18 – trop de travail à l'usine en ce moment – venir[1] de recevoir grosse commande – client allemand – ouvriers absents (épidémie de grippe) + grève personnel service des expéditions – pas voir comment ils vont faire pour exécuter commande en temps voulu – évident pas pouvoir s'absenter en ce moment – obligé téléphoner aujourd'hui – va être très occupé le reste de la semaine – va retéléphoner la semaine prochaine pour fixer autre rendez-vous – désolé

1 See grammar section, p.89

Begin your memo:

Monsieur Joussein de Brest a téléphoné. Il a dit qu'il regrettait de vous informer . . .

Rôle-play

You are Mike Wilson from Leeds. You have an appointment with Monsieur Laroche at 10h30, but you arrive a little late . . .

Secrétaire   Bonjour monsieur.

■ (Say hello, give your name and say where you are from.)

Secrétaire   Avec qui avez-vous rendez-vous Monsieur Wilson?

■ (With M. Laroche at 10h30. Apologise for being late – there was a lot of traffic!)

Secrétaire   Ça ne fait rien monsieur. Je vais voir si Monsieur le Directeur peut vous recevoir tout de suite. Attendez un instant, je vous prie!

■ (That's very kind – thank her.)

Secrétaire   Je regrette mais Monsieur Laroche n'est pas libre avant 11h00. Si vous voulez bien patienter un instant, il pourra vous recevoir à cette heure–là. En attendant, voulez-vous prendre quelque chose? Du café, ou préférez-vous du thé? Les Anglais aiment beaucoup le thé, n'est-ce pas?

■ (Yes, English people do drink a lot of tea, but nowadays more and more people are drinking coffee in England. However, it's not as good as French coffee, so coffee please! Does she mind if you smoke?)

Secrétaire   Je vous en prie . . . Est-ce qu'il y avait du brouillard à Londres?

■ (No, the weather was very good[1], but there were problems at the airport because of a strike of ground staff, so there was some delay at take-off.)

Secrétaire   Oh, il y a beaucoup de grèves ces jours-ci; c'est pareil chez nous. Le métro parisien était en grève l'autre jour et il y avait des embouteillages monstres, surtout aux heures de pointe le matin et le soir. Et la circulation à Londres, est-elle toujours aussi intense? A Paris c'est de pire en pire comme vous venez de le voir!

■ (It's getting worse in London, too, but fortunately you live in the provinces. Ask if she knows England well?)

Secrétaire   Oui, quand j'étais étudiante, j'allais souvent à Londres. Je me rappelle combien la vie y était meilleur marché que chez nous à l'époque.

■ (Unfortunately the cost of living is much higher now, particularly in London. Everything is going up, especially house[2] prices.)

Secrétaire   Ah, je vois qu'il est maintenant 11h00. Je crois que Monsieur Laroche doit pouvoir vous recevoir maintenant. Si vous voulez bien me suivre.

Note

1 don't translate 'weather'; use 'faire très beau'
2 logements (m.pl.)

Written/spoken summary

With the help of the following information, record or write a summary of the dialogue on p.34.

- le rendez-vous de Mr Sanderson (à quelle heure? avec qui?)
- sa réception par la secrétaire (obligé d'attendre; boisson)
- leur conversation (son voyage; la grève; les prix)
- la secrétaire (son séjour en Angleterre; ses achats; l'inflation; ce qu'elle fait à 10h55)

Grammar

1 Formation

Imperfect stem + imperfect ending.

je	*–ais*
tu	*–ais*
il	*–ait*
nous	*–ions*
vous	*–iez*
ils	*–aient*

With the exception of *être** the Imperfect stem of all verbs is formed from the 1st person plural Present Indicative which drops the *-ons* ending, e.g.:

avoir:	**av**ons	*av–*
faire;	**fais**ons	*fais–*
loger:	**loge**ons	*loge–*
**être:*	*sommes*	*ét–*

j'avais	*nous avions*	*j'étais*	*nous étions*
tu avais	*vous aviez*	*tu étais*	*vous étiez*
il avait	*ils avaient*	*il était*	*ils étaient*

2 Use

a The Imperfect always translates 'was (were) doing' and 'used to do', 'would do':

J'achetais *des pullovers* – I (used to/would) buy pullovers.
Il **attendait** *le train* – He was waiting for the train.
*Quand j'***étais** *jeune, j'***allais** *souvent en France* – When I was young I often went (i.e. used to/would go) to France.

b Habitual/repeated actions in the past:

e.g. *Il* **avait** *l'habitude de venir me voir tous les lundis* – He was in the habit of coming (he would/he used to come) to see me every Monday.
Ils le **répétaient** *sans cesse* – They kept on saying it.

c Description in the past (when time of starting is not indicated):
Il y **avait** *des embouteillages aux heures de pointe* – There were traffic jams during the rush hour.
Ils **dormaient** *à poings fermés* – They were fast asleep.

d Imperfect in 'if' clauses:
Si seulement il **avait** *de l'argent!* – If only he had money!
   Imperfect   Conditional
S'il **avait** *de l'argent il* **pourrait** *venir nous voir.*

e Imperfect in reported/indirect speech:

As in English, the Imperfect is used when reporting a statement or question which was in the present tense in direct speech, e.g.:

Direct **Speech (Present)**	→	**Indirect/Reported** **Speech (Imperfect)**
*"Je **suis** malade."*	→	*Il a dit qu'il **était** malade.*
*"**Parlez**-vous français?"*	→	*Il m'a demandé si je **parlais** français.*

Reading & Reacting

A L'Angleterre au plus court

You have been asked to prepare some publicity material in French to promote Dover as a Channel port. Using the information below on Calais, translate the following sentences into French:

a Go to France via Dover!
b Dover is the number 1 Channel port.
c Dover is the nearest port to France.
d Take the hovercraft and you'll be in France in thirty minutes.
e For sailing times and fares, see your travel agent.
f Ultra-modern transit amenities offer travellers a whole range of services.
g Boarding is simple and fast thanks to two-tier loading facilities.

L'Angleterre au plus court . . .

Pour aller en Angleterre passez par Calais.
Port le plus proche de l'Angleterre dont il n'est séparé que par
un bras de mer de 33km de large,
Calais est naturellement le 1er port transmanche du Continent (+ de 9 millions de passagers).

Les installations de transit les plus modernes offrent aux voyageurs un ensemble de facilités, dans un cadre agréable et particulièrement soigné: billetteries des compagnies, bureau de change, boutiques, bar, restaurant, self-service, etc.
30 hectares de parking, des voies de circulation et des passerelles à double niveau vous assurent un embarquement facile et rapide.

La plus grande fréquence de traversées.
Calais vous offre jusqu'à 104 traversées par jour.

Cela vous permet de profiter plus vite de l'Angleterre.
Avec la nouvelle génération de car-ferries, 75 minutes d'une agréable mini-croisière suffisent pour franchir la Manche et si vous choisissez les aéroglisseurs, vous serez à Douvres en 30 minutes.
Pour le détail des horaires et des prix, consultez votre agent de voyages ou les compagnies: P & O European Ferries et Sealink pour les car-ferries et Hoverspeed pour les aéroglisseurs.
Alors, bon voyage via Calais!

VIA Calais
1er PORT EUROPEEN POUR LES ECHANGES AVEC L'ANGLETERRE

B *Inflation: le coup français*

La différence avec la RFA ne cesse de se réduire.

C'est tout bon. En 1988, la hausse des prix en France (3,1%) n'a pas bougé par rapport à 1987. Mieux: le différentiel d'inflation entre la France et l'Allemagne ne cesse de se réduire. En 1988, il a atteint son point le plus bas (1,5% en faveur de la RFA) depuis *le premier choc pétrolier.* Et la différence entre le rythme de hausse de prix en France et en RFA s'approchera de 1% à la fin du premier semestre 1989, selon la Direction de la prévision du ministère des Finances. Les raisons de cette performance? A court terme, l'Allemagne va accroître sa fiscalité indirecte quand la France, à petits pas, fait la démarche inverse. A moyen terme, les Français toucheront les dividendes d'une politique salariale plus sage.

Le Point, 23 janvier 1989

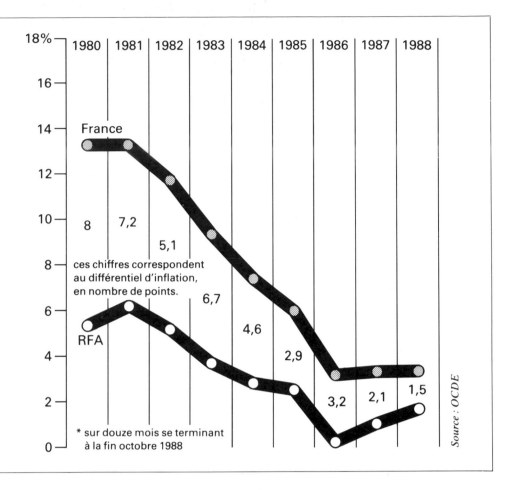

Source : OCDE

Premier *choc pétrolier:* term applied to the period 1973/74 when oil prices reached an all-time high as a result of the Arab–Israeli conflict. The second *choc* was to occur in 1979.

According to the information given above:

a What was the annual rate of inflation in France in 1988?
b How did this compare with 1987?
c What does the figure of 1,5% represent?
d Is 1989 likely to see a continuation or reversal of current trends?
e What reasons are given for this?

4 Rendez-vous d'affaires (2)

(*Reproduced by permission of Punch.*)

Mr Sanderson meets Madame Legrand. He talks about his firm's new products and explains the reasons for the increase in prices.

Listen to the recorded dialogue and then answer the questions in Section A.

Vocabulaire

faire attendre (qn)	*to keep (sbdy) waiting*
s'occuper de (qn)	*to look after (sbdy)*
parler affaires	*to talk/get down to business*
produit (m)	*product*
échantillon (m)	*sample*
jeter un coup d'oeil	*to have a look*
éventail (m)	*spread; range*
gamme (f)	*range (haut/bas de gamme top/bottom of the range)*
lancement (m)	*launch*
marché (m)	*market*
se vendre bien	*to sell well (of products)*
consommateur (m)	*consumer*
légèrement	*slightly*
hausse (f)	*increase*
volonté (f)	*will; volition*
relèvement (m) des salaires*	*pay increase*
frais généraux	*general costs; overheads*
entretien (m)	*maintenance*
charges sociales	*national insurance charges (employer's)*
en dépit de	*in spite of*

défier toute concurrence (f)	*to be unbeatable*
concurrent (m)	*competitor*
avoir une faim de loup	*to be ravenous*
se dépêcher	*to hurry*
convenablement	*properly*
oublier	*to forget*

Notes *'*Salaires*' translates wages as well as salaries. However, most French workers are paid monthly, *'la mensualisation'* having been brought in during 1971 and 1972.
'2,5%' A comma represents the decimal point. Read: *'deux virgule cinq pour-cent'*.
Lunch is taken early in France and a two-hour lunch break (12.00–14.00) is still very common.

section a *Qu'avez-vous compris?*

1 Answer in English

a Why have two new products been added to the range?
b How long have the new products been available on the British market?
c What reasons does he give for the price increases?
d What does she say about the new products?
e Why is Mr Sanderson pleased to accept the invitation to lunch?

2 Answer in French

a Pourquoi Madame Legrand demande-t-elle à Mr Sanderson de l'excuser?
b Qu'est-ce que la secrétaire a offert à Mr Sanderson?
c Qu'est-ce qu'il a apporté à Madame Legrand?
d Comment les nouveaux articles se sont-ils vendus sur le marché britannique?
e De combien les prix ont-ils augmenté?
f Que pense Madame Legrand des deux nouveaux modèles?
g Que propose Madame Legrand?
h Pourquoi Mr Sanderson a-t-il tellement faim?

3 *Translate*

a I'm sorry to have kept you waiting.
b Thank you for coming.
c Let's get down to business!
d I've come to show you our latest products.
e If you'd care to take a look.
f One top of the range product, one bottom of the range.
g These articles have sold well.
h They have been tremendously successful.
i How much are they?
j I'm sorry to, have to tell you.
k This increase is outside your control.
l Despite that our prices are unbeatable.
m Our products are clearly better quality.
n French customers will like those two models.
o I was in a hurry.
p I didn't have time to have a proper breakfast.

Dialogue

Legrand	—Bonjour Monsieur Sanderson, enchantée de faire votre connaissance.
Sanderson	—Enchanté madame.
Legrand	*Excusez-moi de vous avoir fait attendre.*
Sanderson	—Cela ne fait rien. D'ailleurs votre secrétaire s'est bien occupée de moi; elle m'a offert une tasse de café.
Legrand	—Alors c'est parfait! *je vous remercie d'être venu* car votre temps est précieux, j'imagine. Maintenant, *parlons affaires!*
Sanderson	—*Je suis venu vous présenter nos nouveaux produits.* Je vous ai apporté quelques échantillons ainsi que nos dernières brochures, *si vous voulez jeter un coup d'oeil.* Ces deux pièces-là sont nouvelles et complètent ainsi l'éventail de nos produits avec *un article haut de gamme et un autre dans le bas de la gamme.* Je peux vous assurer que, depuis leur lancement l'année dernière, *ces articles se sont bien vendus* sur le marché intérieur. *Ils ont eu énormément de succès* auprès des consommateurs britanniques.
Legrand	—*Quels en sont les prix?*
Sanderson	—*J'ai le regret de vous informer* que tous nos prix ont légèrement augmenté . . . . .!
Legrand	—Si seulement ils baissaient de temps en temps! Et il va sans dire que *cette hausse est indépendante de votre volonté,* n'est-ce pas?
Sanderson	Exactement! Elle est due à deux choses: d'abord à un relèvement général des salaires* – il y a eu des grèves au début de l'année – et ensuite à une augmentation de nos frais généraux – entretien, gaz, électricité, transport, charges sociales. Tout a augmenté. Voici nos derniers tarifs.
Legrand	Mais cette hausse des prix me semble assez importante!
Sanderson	—Elle est de 2,5%* seulement, et *en dépit de cela nos prix défient toute concurrence,* car *la qualité de nos produits est nettement supérieure* à celle de nos concurrents.

Legrand	–Effectivement, je crois que *ces deux modèles-là plairont à la clientèle française* malgré leur prix assez élevé.
Sanderson	C'est ce que nous avons pensé.
Legrand	–Bon, je vois qu'il est déjà midi*. Si vous voulez bien, allons déjeuner ensemble. Nous continuerons notre discussion à table ou après.
Sanderson	Volontiers, car j'ai une faim de loup! Je me suis levé de bonne heure ce matin, je me suis dépêché, mais, comme *j'étais pressé, je n'ai pas eu le temps de déjeuner convenablement.*
Legrand	Bon allons-y. Mais n'oubliez pas les brochures que vous avez apportées.

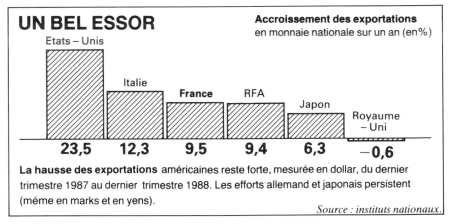

UN BEL ESSOR

Accroissement des exportations en monnaie nationale sur un an (en%)

Etats – Unis   Italie   **France**   RFA   Japon   Royaume – Uni

23,5   12,3   9,5   9,4   6,3   −0,6

La hausse des exportations américaines reste forte, mesurée en dollar, du dernier trimestre 1987 au dernier trimestre 1988. Les efforts allemand et japonais persistent (même en marks et en yens).

Source : instituts nationaux.

L'Expansion, 16 février – 1 mars 1989

section b   *Exercises*

A *Perfect Tense with* avoir

You are telling a French colleague about the problems your company has had over the last few months.

Exemple:

date	événement
fév.	augmentation de salaire pour les ouvriers

Réponse: En février les ouvriers *ont reçu* une augmentation de salaire.

Now continue:

	date	événement
a	mars.	augmentation du prix de l'électricité
b	av.	sortie d'un nouveau modèle par nos concurrents
c	juil.	annonce d'une restriction de crédit par le gouvernement
d	sept.	baisse des ventes
e	nov.	décision de la direction de lancer une nouvelle gamme

B *Perfect with être*

Since the launch of the new range in November, things have been going much better for the company. With a colleague, you recall the main events on the road to improvement.

Exemple:

date	événement
18/1	les nouvelles machines arrivent

Ⓐ Quand est-ce que les nouvelles machines *sont arrivées?*
Ⓑ *Elles sont arrivées le dix-huit janvier.*

Now continue:

	date	événement
a	16/2	nouveaux clients américains viennent visiter les ateliers
b	17/2	ils se décident à passer une commande importante
c	5/4	notre directeur va ouvrir la nouvelle filiale en Ecosse
d	6/6	la grève des transporteurs se termine.
e	13/7	la première commande à destination des Etats Unis part de l'usine.

C *Agreement/non-agreement of past participle*

Write out the following in the perfect tense, making the past participle agree where necessary.

a Ils (se laver) les mains, puis ils (partir).
b Il (lire) les documents que son collègue (poser) sur la table.
c Les faillites (se multiplier) cette année.
d Le deux concurrents (se dire) bonjour quand ils (se rencontrer).
e Quelle usine (visiter)-vous?
f Je (visiter) l'usine qui (fermer) à cause de la grève.
g Voici les deux modèles que je (choisir).
h Les directeurs (signer) les lettres que la secrétaire (écrire).

 ## D *Perfect/Imperfect*

Before going off on a few days leave, your colleague has left a recorded message telling you what he was able to do and what still remains for you or the secretary to do.

Listen to the recorded message and place a tick in the appropriate column alongside the task.

task		done	for you to do	for secretary to do
letter to Verdier:	dictated			
	typed			
	signed			
	posted			
phone Bourquin				
make appointment with Chabuel				
arrange demonstration of new machine to technicians				
phone Jaillet				
cancel visit to Lille				
inform Managing Director of cancellation				
remind him of dinner with Japanese				
confirm plane seats Paris–Geneva				
find out alternative flight times				
make train reservations Paris–Lyon				
contact Jospin				

E Imperfect/Perfect

Complete the following by:

● *selecting a suitable verb from the box below*
● *putting it into the imperfect or perfect as appropriate*
● *making all necessary agreements*

Quand Mr Sanderson . . . . dans le bureau de Madame Legrand,

celle-ci . . . . de l'. . . . . Elle l'. . . . .

d'. . . . ., et il lui . . . . des échantillons et des brochures.

Puis il . . . . qu'il y . . . . deux nouveaux articles qui

. . . . l'éventail de leurs produits; un haut de gamme et l'autre bas

de gamme. Quand il . . . . de la hausse de leurs prix, Mme

Legrand l'. . . . . importante. Cependant, les deux modèles qu'il

lui . . . . lui . . . . malgré leur prix, qu'elle

. . . . assez élevé. A midi ils . . . . déjeuner ensemble.

---

estimer – remercier – plaire – montrer (2) – entrer – parler – s'excuser –
trouver – élargir – faire attendre – avoir – aller – venir – expliquer

---

Grèves et lock-out

Journées perdues en 1987 (en milliers)

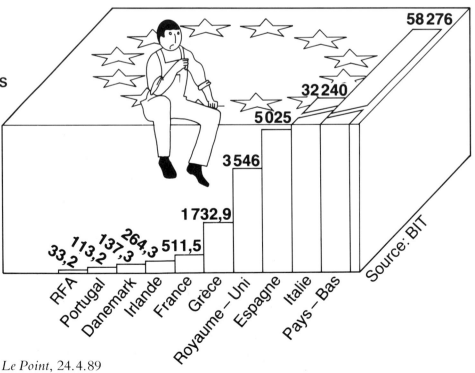

Le Point, 24.4.89

☊ *Rôle-play*

Play the rôle of Mr Sanderson in the following dialogue:

Legrand   Bonjour Monsieur Sanderson. Entrez! Colette Legrand, enchantée de faire votre connaissance.

Sanderson   (Greet her and say you are pleased to meet her.)

Legrand   Si vous voulez bien vous asseoir. Excusez-moi de vous avoir fait attendre.

Sanderson   (That's alright. You were early anyway, and her secretary looked after you very well.)

Legrand   Vous avez fait bon voyage?

Sanderson   (Quite good, but the strike of ground-staff at Heathrow delayed your departure.)

Legrand   Hélas, ce genre de problème n'est pas rare quand on voyage beaucoup.

Sanderson   (You have come to show her your two new products – one top of the range, the other bottom of the range. You've brought some samples if she would care to have a look.)

Legrand   Volontiers. J'aime beaucoup la présentation de celui-là. Il est vraiment attrayant.[1]

Sanderson   (Yes, since their launch last year they have sold well on the home market. They have been extremely successful with British customers.)

Legrand   Quels en sont les prix?

Sanderson   (Here is your latest price list. Unfortunately, as she can see, all your prices have increased slightly.)

Legrand   Pour quelles raisons vos prix ont-ils augmenté?

Sanderson   (Well, inflation is higher in the UK than in France at the moment. Overheads have increased and there have been some fairly big[2] wage increases.)

Legrand   Le prix unitaire,[3] TVA comprise,[4] me paraît très élevé; hum . . . ., il s'agit d'une augmentation fort importante!

Sanderson   (Overall[5] it's only 2.5% and, despite that, your prices are still very competitive.)

Legrand   Si leur prix demeure abordable,[6] je crois que ces deux modèles plairont assez aux consommateurs français.

Sanderson   (That's what you thought, as the quality of your goods is clearly superior to that of your competitors.)

Legrand   Vous m'avez presque convaincue.[7] Mais je vois qu'il est déjà midi et demi . . . . . . Si vous n'y voyez pas d'inconvénient, et si vous n'êtes pas trop pressé, allons déjeuner ensemble.

Sanderson   (With pleasure as you are feeling ravenous! You got up late this morning and, as you were in a hurry, you didn't have time to have a proper breakfast.)

1 attractive
2 assez importantes
3 unit price
4 inclusive of VAT (see p. 175)
5 dans l'ensemble
6 reasonable
7 past participle of convaincre *to convince*

Grammar

1 Use

The perfect tense (*passé composé*) is used to express a **completed** action, and corresponds to the English forms: has (have) done; did; did do:

Il a apporté des échantillons – He **has brought** some samples.
Il a apporté des échantillons hier – He **brought** some samples yesterday.
S'il a apporté des échantillons, il ne les a pas apportés hier! – If he **did bring** any samples, he **didn't bring** them yesterday!

2 Formation

Two elements: (i) present tense of an auxiliary verb (*avoir/être*) with (ii) past participle.

a Past participle of regular verbs: formed according to type:

Type	Infinitive	Change	Past Participle
–er	apporter	er–é	apporté
–ir	finir	ir–i	fini
–re	vendre	re–u	vendu

b Past participle of irregular verbs: irregular verbs form their past participle in a variety of ways and must be learned separately, e.g.:
être – été; avoir – eu; faire – fait.

However, some irregular groups tend to have characteristic past participles, and some general guidance can be given, e.g.:

–evoir verbs form their past participle in **–u:**
recevoir – reçu; devoir – dû; apercevoir – aperçu.
–uire verbs form their past participle in **–uit:**
conduire -- conduit; produire – produit; cuire – cuit.
–eindre/–aindre verbs form their past participle in **–eint/–aint:**
peindre – peint; atteindre – atteint; craindre – craint.
–oindre verbs form their past participle in **–oint:**
joindre – joint (see table pp. 00)

3 Auxiliary verbs

a All transitive verbs (i.e. verbs taking a direct object) and a large number of intransitive verbs take avoir.
Transitive: *J'**ai** rencontré mon ami Dupont.*
Intransitive: *Les prix n'**ont** pas augmenté.*

b All reflexive verbs and intransitive verbs denoting change of place or state take *être*.
Intransitive (change of place): *il **est** venu ce matin*.
Intransitive (change of state): *ils **sont** devenus riches*.
Reflexive: *elle **s'est** levée tôt ce matin*.

4 Past participle agreement

a *avoir* verbs: no agreement unless the direct object preceeds the auxiliary verb, in which case the part participle agrees in number and gender with that **preceding direct object (PDO)**, e.g.:
*J'ai apporté les **lettres***. (No agreement)
*Quelles **lettres** (PDO) avez-vous apportées?* (Agreement)
Hence:
*Elle a apporté les lettres **que** j'ai écrit**es** ce matin.*
*J'ai écrit les lettres et je **les** ai sign**ées** tout de suite.*
Note also:
*Après **les** avoir lu**es**, j'ai mis les lettres de côté.*

b *être* verbs:
(i) Intransitive verbs:
Past participle agrees in number and gender with the subject, e.g.:
***L'usine** est devenue très grande.*
***Les ouvriers** sont partis à 18.00 heures.*
Note also:
Après être arrivés ils ont mangé. (After having arrived they ate.)
(ii) Reflexive verbs:
Past participles agree with reflexive pronouns unless there is another direct object present, in which case the PDO rule applies (see 4a):
Agreement:
    *Elle **s**'est lavée.*
    *Nous **nous** sommes rencontré**s** l'année dernière.*
No agreement:
    *Elle s'est lavé **les mains**.*
    *Ils se sont écrit **plusieurs lettres**.*
Note also:
    *S'est-elle lavé **les cheveux?***
    *Oui, elle se **les** est lavé**s**.* (PDO)

Reading & Reacting

A CIAT

Créée par Monsieur Jean-Louis Falconnier, décédé en avril 1984, la Compagnie Industrielle d'Applications Thermiques voit le jour en 1934.

Un homme, une entreprise: c'est le début d'une exceptionnelle aventure industrielle.

Dès l'origine spécialisée dans l'échange thermique et l'aérolique, CIAT, sous l'impulsion de son fondateur et par l'intermédiaire de son laboratoire de recherche, se diversifie rapidement au profit de la climatisation et de la réfrigération. En un demi-siècle, le bilan est une croissance remarquable sur des créneaux nouveaux.

CIAT est aujourd'hui parmi les leaders européens dans le domaine du Chauffage, de la Ventilation, de la Climatisation et des Economies d'Energie.

Les chiffres sont éloquents:
- Une surface de production couverte de près de 90 000 m^2 a Culoz dans l'Ain.
- 1400 salariés.
- Un chiffre d'affaires de l'ordre de 900 millions de francs.
- 8 filiales dont 4 à l'étranger (Belgique, Grande-Bretagne, Suisse, République Fédérale d'Allemagne).
- En France, un réseau commercial de 23 agences autonomes et, à l'étranger, une représentation dans plus d'une trentaine de pays.
- 9000 clients.

Parallèlement, la société se donne les moyens de poursuivre sa remarquable expansion:
- Développement du laboratoire de recherche (1 800 m^2), déjà considéré en France comme l'un des plus performants.
- Création d'une équipe de recherche en système électronique.
- Ouverture d'une nouvelle usine de 10 000 m^2 à Belley (près de Culoz) destinée à la production d'échangeurs et de matériel lourd.
- Renforcement des services après-vente et assistance technique. CIAT compte aujourd 'hui parmi les 500 premières entreprises françaises et prépare l'avenir comme elle a construit le présent, se donnant les moyens de poursuivre pleinement son essor international.

Depuis 50 ans CIAT repousse les limites
de la technologie énergétique

Votre partenaire pour l'avenir

Avenue Jean Falconnier, F–01350 CULOZ
Tel.: 79.42.42.42 – Telex: 980 437 F – Fax: 79.42.42.10

From the article on the CIAT company, prepare an information sheet in English on the firm, using the headings given:

Full name of company:

Founded:

Founder of company:

Products:

No. of employees:

Turnover:

Ranking amongst French manufacturers of air-treatment equipment:

Size of factory in Culoz:

Subsidiaries:

Sales Network: France:
　　　　　　　　Abroad:

Customers:

Current development/expansion programme:

- ●
- ●
- ●
- ●

Vocabulaire		
	échange thermique (m)	*heat exchange*
	(industrie) aéraulique (f)	*air-treatment*
	pompe à chaleur (f)	*heat pump*
	bilan (m)	*result*
	créneau (m)	*(market) gap*
	essor (m)	*expansion*

B Produits français à l'étranger

FORCES ET FAIBLESSES DES PRODUITS FRANÇAIS À L'ÉTRANGER
(classées par ordre décroissant)

	FORCES	FAIBLESSES
Belgique	Qualité des produits Facilité de communication Innovation	Conditions financières Dynamisme commercial Capacité d'adaptation
RFA	Qualité des produits Innovation	Facilité de communication Promotion-publicité Capacité d'adaptation
Suisse	Qualité des produits Facilité de communication	Dynamisme commercial Promotion-publicité Capacité d'adaptation
Italie	Qualité des produits Innovation Conditions financières	
Royaume-Uni	Qualité des produits Innovation Conditions financières	Promotion-publicité Capacité d'adaptation Délais de réaction
Etats-Unis	Qualité des produits Innovation Promotion-publicité	Facilité de communication Délais de réaction Capacité d'adaptation

source : d'après le COE

Importateurs et acheteurs de produits industriels de grande consommation étaient interrogés sur huit critères (qualité, innovation, facilité de communication, conditions financières, délais de réaction, dynamisme commercial, promotion-publicité, capacité d'adaptation). Fondées ou non, ces opinions subjectives conditionnent dans une large mesure les importations des pays étudiés. La compétitivité des produits français, contrastée selon les secteurs et selon les pays, se situe globalement à un niveau moyen. Leur qualité est reconnue, mais le manque de capacité d'adaptation de nos industriels reste un handicap majeur.

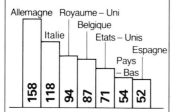

LA GRANDE – BRETAGNE, TROISIEME CLIENT DE LA FRANCE

Exportations françaises en 1988 (en milliards de francs)

Allemagne Royaume – Uni
Italie Belgique
Etats – Unis
Espagne
Pays – Bas

158 118 94 87 71 54 52

Les Allemands restent de loin nos premiers acheteurs, mais les Britanniques ont dépassé les Belges. Ceux-ci, avec les Hollandais, absorbent encore 14% de nos ventes.

Source : Douanes.

Marketing Mix, no. 23, June 1988

According to the information given in the table 'Forces et faiblesses des produits français à l'étranger' above:

a what is the greatest strength of French products abroad?
b what is their greatest weakness?
c what would appear to indicate that French exporters need to improve their linguistic competence?

L'Expansion, 16/29 mars 1988

5 *Au restaurant*

 Cars and driving are discussed on the way to a local restaurant where a typical meal is ordered.

Listen to the recorded dialogue and then answer the questions in Section A below.

Vocabulaire

voyage (m) de noces	*honeymoon*
inutile	*useless; no point*
quartier (m)	*district (of town)*
de quartier	*local*
(se) garer	*to park*
parking (m)	*carpark*
stationnement (m)	*parking*
gratuit	*free*
pratique	*convenient*
se soucier (de)	*to worry (about)*
parcmètre (m)	*parking metre*
contractuel (m)	*traffic warden*
marque (f)	*make; brand*
ennuis (mpl.)	*trouble*
conduire	*to drive*
facile	*easy*
courtois	*polite; courteous*
volant (m)	*steering wheel*
se mettre en colère	*to get angry*

chemin (m)	*way*
genre (m)	*style; type*
couvert (m)	*place (at a table)*
convenir	*to suit; be alright for*
ligne (f)	*figure*
faire cuire (qc.)	*to cook (sthg.)*
farine (f)	*flour*
poêle (f)	*frying pan*
bien cuit	*well done (cooked)*
à point	*medium/medium-rare*
saignant	*rare*
tant pis	*never mind*
renommé	*famous*

section a Qu'avez-vous compris?

1 Answer in English

a What does Mme Legrand say about the restaurant to which she invites Mr Sanderson?
b What make of car do (i) Mme Legrand, and (ii) Mr Sanderson have?
c What, according to Mme Legrand, annoys Parisian drivers?
d Name one starter, one main course, one vegetable and two desserts on their menu.
e How does Mr Sanderson prefer his meat?

2 Answer in French

a Pourquoi prennent-ils l'ascenseur?
b Est-ce que Mr Sanderson connaît bien Paris? Pourquoi?
c Où, Mme Legrand, a-t-elle garé sa voiture? Pourquoi?
d Est-ce qu'elle est contente de sa voiture?
e Pourquoi n'est-il pas facile de conduire dans Paris?
f Que prennent-ils comme entrée?
g Quel choix de dessert y a-t-il?
h Pourquoi ne commandent-ils pas de carafe de vin?
i Est-ce qu'ils vont boire uniquement du vin en mangeant?
j Est-ce qu'on mange mieux à Paris qu'à Lyon?
k Pourquoi n'ont-ils pas pris de menu gastronomique?
l Quelle invitation a-t-il lancée à Mme Legrand?

3 Translate

a Do you know Paris well?
b We enjoyed our stay there immensely.
c The food is good and not all that expensive?
d Let's go by car.
e What make of car do you have?
f Are you (f) pleased with it?
g It hasn't given me any trouble.
h You see a lot in France.
i He soon gets annoyed.
j Let's have a look.
k What would you like as a starter?
l I must think of my figure.
m I think I'll have the steak – medium.
n Something better.
o I remember having eaten very well in Paris.
p I'll look forward to taking you there.
q When you come and visit us.

Dialogue

Legrand	Prenons l'ascenseur, cela ira plus vite. . . . *Vous connaissez bien Paris?*
Sanderson	Un peu, en touriste. J'y suis venu en voyage de noces.
Legrand	Alors inutile de vous demander si vous en gardez un bon souvenir!
Sanderson	En effet, *nous y avons fait un excellent séjour.*
Legrand	Je vais vous indiquer un restaurant du quartier où *la cuisine est bonne et pas tellement chère. Allons-y en voiture;* la mienne est garée dans un parking où le stationnement est gratuit. C'est bien pratique, car je n'ai pas à me soucier des parcmètres, ni des contractuels.
Sanderson	*Quelle marque de voiture avez-vous?*
Legrand	J'ai une R5[1]. La voici!
Sanderson	*Vous en êtes contente?*
Legrand	Oui, elle me plaît beaucoup. *je n'ai pas eu d'ennuis avec* – du moins, rien de sérieux!
Sanderson	J'ai changé la mienne il y a quelques semaines; j'ai une Rover maintenant.
Legrand	Oui, je connais. *On en voit beaucoup en France.*
Sanderson	Conduire dans Paris n'est pas facile; il y a tellement de circulation!
Legrand	C'est vrai. En plus le Parisien conduit vite, il n'est pas courtois au volant, et *il se met vite en colère* si la personne devant lui ne connaît pas son chemin!
	Voici le restaurant. Ce n'est pas *la Tour d'Argent*[2], mais ce n'est pas mal dans un genre différent, et le service est rapide – ce qui compte lorsqu'on est pressé.
Sanderson	Après vous, madame.
Garçon	Messieurs-dames, deux couverts? Par ici s'il vous plaît . . . . . . Cette table vous convient-elle?

Legrand   Merci. Le menu du jour à 80F, tout compris, n'est pas mal d'habitude. *Voyons voir* . . .

     – crudités ou pâté maison
     – steak ou sole meunière
     – haricots verts ou pommes frites
     – salade verte
     – fromage ou fruit ou pâtisserie maison ou glace
     – carafe de vin

     Que préférez-vous comme entrée, Mr Sanderson?

Sanderson   Pour moi le pâté maison.

Legrand   Je vais prendre les crudités. *Je dois penser à ma ligne!*

Garçon   Vous avez choisi messieurs-dames?

Legrand   Oui, un pâté maison et une 'crudités'

Garçon   Très bien. Et ensuite?

Legrand   Je prends la sole meunière et les haricots verts

Sanderson   Qu'est-ce que c'est 'meunière'?

Garçon   C'est une façon de faire cuire le poisson. Ça veut dire roulé dans de la farine et passé à la poêle dans du beurre.

Sanderson   *Je crois que je vais prendre le steak,* pommes frites.

Garçon   Comment le préférez-vous, votre steak? Bien cuit? à point? saignant?[3]

Sanderson   A point.

Garçon   Et comme boisson?

Legrand   On ne va pas prendre de carafe[4], mais *quelque chose de meilleur.* Apportez-nous la carte des vins s'il vous plaît.

Garçon   D'accord, je vous l'apporte tout de suite.

Legrand   Oh, et une demi-bouteille d'eau minérale.

Garçon   Bien, madame.

Sanderson   *Je me rappelle avoir très bien mangé à Paris.*

Legrand   Oui, il y a beaucoup de bons restaurants à Paris, mais la cuisine lyonnaise[5] est bien meilleure qu'ici. Enfin, tant pis, car de toute façon nous n'avons pas le temps aujourd'hui de prendre un menu gastronomique.

Sanderson   Tout près de chez moi il y a un excellent restaurant qui est renommé pour sa cuisine. *J'espère que j'aurai le plaisir de vous y emmener, quand vous viendrez nous rendre visite* en Angleterre.

Legrand   J'accepte votre invitation avec plaisir et je vous en remercie d'avance.

Notes

1 Renault 5.

2 *La Tour d'Argent:* one of the most exclusive and famous Paris restaurants on the bank of the Seine, overlooking Notre-Dame.

3 By English standards the French undercook their meat. '*A point*', therefore, should be understood as medium-rare, and those who do not like any hint of redness in their meat would be advised to specify *bien cuit*.

4 *Carafe de vin:* wine which is included in the price of the meal in small restaurants is usually served in plain glass decanters containing a quarter of a litre of *vin ordinaire* per person.

5 *La cuisine lyonnaise*: Lyon is generally considered to be the gastronomic capital of France and the city and surrounding areas, in particular le Bugey and la Bresse, are famous for their cuisine (see FRENCH FOR BUSINESS ASSIGNMENTS, Assignment 3).

section b   *Exercises*

A *Object pronouns in statements*

Exemple: Vous voyez *ma voiture.*
Réponse: Oui, je *la* vois.

Now continue:

a Vous préférez *votre steak* bien cuit?
b Ils ont indiqué *ce restaurant à leurs amis?*
c Elle ne ne va pas prendre *la pâtisserie maison?* (non)
d Vous allez parler *de vos ennuis au patron?*
e Vous n'avez pas pu manger *d'escargots.* (non)
f Est-ce que vous voulez vous acheter *le dernier modèle?*
g S'est-elle garée *devant le restaurant?* (non)

B *Object pronouns in commands*

Exemple: Allons *au restaurant!*
Réponse: Oui, allons-*y*!

Now continue:

a Laissez *votre voiture* ici! (non)
b Apportez-nous *la carte des vins!* (oui)
c Prenons encore *du vin!* (non)
d Donnez *de l'eau à mon collègue!* (oui)
e Allons–nous–en! (non)

C *Possessive pronouns*

Exemple: Nous vendons bien nos machines. (nos concurrents aussi)
Réponse: Nos concurrents aussi, ils vendent bien les leurs!

Now continue:

a Mlle Mercier n'aime pas sa nouvelle machine à écrire. (ma secrétaire non plus . . .)
b Mon collègue veut changer sa voiture. (M. et Mme Leroy aussi . . .)
c Il sont fiers de leurs produits. (nous aussi . . .)
d Elle n'aime pas bien son nouveau patron. (moi non plus . . .)
e Je dois penser à mes frais généraux. (vous aussi . . .)

 D y/en

Exemple: Ⓐ Vous avez déjà goûté ce vin?
Ⓑ Oui, j'en ai déjà bu.

Now continue:

a (manger/prendre)

b (visiter/aller)

c (choisir/commander)

d (aller/se rendre)

e (essayer/fumer)

E Pronouns with voilà

Exemple: Vous voyez ma voiture?
Réponse: Votre voiture? Attendez, oui, la voilà!

Now continue:

a Vous voyez mes lettres?
b Vous voyez le restaurant
c Vous voyez une table?
d Vous voyez un menu?
e Vous voyez quelques places libres?

F Disjunctive (emphatic) pronouns

Exemple: Vous êtes allé manger chez *les Dupont*, n'est-ce pas?
Réponse: Oui, je suis allé manger chez *eux*.

Now continue:

a *Vous* restez ici et *votre collègue part*, n'est-ce pas?
b C'est *Mme Mercier* qui vous a appelé, n'est-ce pas?
c Qui m'a téléphoné? *Le directeur*, n'est-ce pas?
d *Il* arrive avant *mon collègue et moi*, n'est-ce pas?

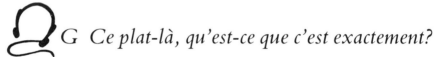

G Ce plat-là, qu'est-ce que c'est exactement?

Identify the menu item from its description on the cassette recording.

entrées	viandes	légumes	desserts
● pâté	● entrecôte bordelaise	● gratin dauphinois	● vacherin
● terrine	● daube	● jardinière de légumes	● tarte Tatin
● bouillabaisse	● navarin d'agneau	● morilles à la crème	● île flottante
● crudités	● escalope de veau à la viennoise	● pommes Anna	● profiteroles

4

H Qu'est-ce que vous avez comme voiture?

a Study the information given below on some French and English cars. Based on the example provided, describe the other models listed by answering your partner's questions. Student Ⓐ describes the English cars, giving the on-the-road price in £ and Student Ⓑ the French cars, giving the price in FF.

Exemple:

Ⓐ   Ⓑ

Qu'est-ce que vous avez comme voiture?	J'ai acheté une Metro MG Turbo
Combien l'avez vous payée?	Je l'ai payée sept mille huit cent cinquante livres clés en mains
Elle vaut combien en France?	En France elle vaut quatre-vingt deux mille huit cent huit Francs.
Quelle est sa vitesse maximale?	Sa vitesse maximale est de cent soixante-seize kilomètres/heure
Elle consomme beaucoup?	Elle consomme en moyenne sept litres aux cent kilomètres

Now continue:

	anglaise	**française**
marque et modèle:	Metro MG Turbo	Citroën AX GT
*prix: (clés en mains)**	£7850 (82808FF)	66800FF (£6899)
vitesse maximale:	110mph/176km/h	178km/h/111mph
consommations:		
vitesse normale:	5,3	4,9
en ville:	7,5	6,6
rapide:	8,2	7,6
moyenne:	7,0 litres (100km)	6,3 litres (100km)

	anglaise	française
marque et modèle:	Montego MG Turbo	Peugeot 405 MI 16
prix: (c en m)	£12455 (128880FF)	138400FF (£14995)
vitesse maximale:	127mph/203k/h	213k/h/133mph
consommations:		
vitesse normale:	6,0	6,5
en ville:	8,1	8,0
rapide:	10,0	11,3
moyenne:	8,0 litres (100 km)	8,6 litres (100 km)
marque et modèle:	Rover 800 Fastback Vitesse	Renault 25 V6 Turbo
prix: (c en m)	£19994 (219934FF)	209120FF (£20400)
vitesse maximale:	141mph/225k/h	224k/h/140 mph
consommations:		
vitesse normale:	7,4	6,8
en ville:	9,0	8,9
rapide:	12,3	12,9
moyenne:	9,5 litres (100 km)	9,5 litres (100 km)

*Prix clés en mains = on the road price.

Source: L'Automobile 'Toutes les Voitures du Monde 88/89, Hors Série No. 11'

Please note   The information given above is approximate and does not apply to prices and specifications of current models.

b Using the information provided, ask each other supplementary questions on the various models. For example:
—Est-ce qu'elle consomme beaucoup en ville?
                                        sur l'autoroute? etc.
—176 km/h, ça fait quoi en miles?

 *Rôle-play*

Whilst on business in Paris you are invited by a client, Madame Jacquet, to lunch (see p. 66 for menu).

- Vous connaissez bien Paris?

- (Only slightly, as a tourist. You have been once, that was two years ago.)

- J'espère que vous en gardez un excellent souvenir!

- (Indeed. You enjoyed your stay immensely.)

- Vous allez voir qu'on ne mange pas mal au restaurant où je vais vous emmener. On va y aller en voiture. Ce n'est pas tellement loin, mais à cette heure-là il y a beaucoup de circulation et on n'avance pas vite.

- (Ask her if she is pleased with her car.)

- Oui, j'en suis très contente; elle est pratique en ville et consomme peu. Et vous, quelle marque de voiture avez-vous, une marque anglaise ou étrangère?

- (You had an English car but you changed it a few weeks ago. You bought a Peugeot. You are very pleased with it.)

- En Angleterre est-ce que les voitures sont aussi chères qu'en France?

- (Say you think that they are a little more expensive in England than in France. Yours is certainly cheaper in France.)

- Regardons les menus. Qu'est-ce qui vous tente?

- (Ask what she would *advise*[1] you to *have*[2].)

- Je crois que je vais prendre le menu à 80F tout compris. Il n'a pas l'air mal.

- (You agree and you will have the same.)

Garçon Vous avez choisi messieurs-dames?

- Comme entrée je prends le jambon de Parme.

Garçon Et vous monsieur?

- (You'll have the avocado cocktail with mussels.)

Garçon Très bien, et ensuite?

- Je vais prendre la côte de veau.

- (Ask what 'faux filet grillé beurre maître d'hôtel' is.)

Garçon C'est un morceau de boeuf pris dans le filet cuit au beurre et servi avec une persillade, monsieur.

- (Fine, you'll have it.)

Garçon Comment préférez-vous votre viande, monsieur?

- (Well done; because you have noticed that the French *undercook*[3] their meat compared to the English.)

Garçon D'accord, et comme boisson?

■   (Suggest you have something better than the *carafe of wine*[4] and ask him to bring the wine list and half a bottle of Evian water.)

Garçon   Très bien. Je vous l'apporte tout de suite.

Garçon   Vous avez terminé messieurs-dames? Et comme dessert?

■   Pour moi un café, c'est tout.

■   (That was very good, but *no more for you*[5] either. You'll have a coffee too.)

■   Vou m'apporterez l'addition avec le café s'il vous plaît. Nous sommes pressés.

■   (Say the bill must be brought to you.)

■   Non, j'insiste. C'est moi qui vous ai invité. C'est à moi de payer.

■   (In that case you hope you'll have the pleasure of taking her to lunch when she comes to visit your factory in England.)

■   J'accepte avec plaisir, et je vous en remercie d'avance.

1 conseiller
2 prendre
3 faire moins cuire qch
4 vin en carafe
5 use 'avoir assez mangé'

MENU A 65 Frs

Salade de Tomates
ou
Salade Composée

★★★

Faux Filet Grillé Beurre Maître d'Hôtel

★★★

Garniture Maison

★★★

Plateau de Fromages
ou
Glace ou Sorbet ou Crème Caramel
ou
Fruits

Tout Changement à ce Menu apportera un Supplément

MENU A 90 Frs

Cocktail d'Avocat aux Moules à la Catalane
ou
Melon Glacé
ou
Salade CLAN
(croutons, lardons, ail, noix)

☆☆☆☆

Cassolettes d'Escargots au Roquefort
ou
Maïs Grillé
ou
Salade de Haricots Verts
ou
Filet d'Oie

☆☆☆☆

Escalope de Veau au Poivron Rouge
ou
Faux Filet Valromey
ou
Longe de Veau et Porc Sauce Madère
Garniture Maison

☆☆☆☆

Plateau de Fromages

☆☆☆☆

Dessert au Choix

Prix nets

MENU A 80 Frs

Cocktail d'Avocat aux Moules à la Catalane
ou
Jambon de Parme

 ◆◆◆◆

Truite Tour d'Argent
ou
Côte de Veau Grillée
ou
Faux Filet Grillé Beurre Maître d'Hôtel

 ◆◆◆◆

Garniture Maison

◆◆◆◆

Plateau de Fromages

 ◆◆◆◆

Dessert au Choix

Prix nets

Grammar

1 *Word order with object pronouns*

Direct object
Indirect object

reflexive	reflexive	direct obj	indirect obj	
me				
te	*se*	*le, la, l'*	*lui*	*y/en*
nous				
vous	*se*	*les*	*leur*	

a In statements, questions and negative commands when more than one pronoun is present, the above order (reading from left to right) is followed. The pronoun(s) come(s) immediately before the infinitive or, if no infinitive is present, before the finite verb:

With infinitive:

*Je veux **les lui** donner* – I want to give them to him/her.
*Je n'ai pas voulu **les lui** donner* – I didn't want to give them to him/her.
*Elle n'a pas à **se** soucier des parcmètres* – She doesn't have to worry about parking meters.

Without infinitive:

***Les lui** donnez-vous?* – Are you giving him them?
*Ne **les lui** donnez pas!* – Don't give them to him!
*Je **les lui** ai donné(e)s* – I gave him them.
Note also: ***Le** voilà!* – There he is!
***Les** voici!* – Here they are!
***En** voilà un!* – There 's one!
***En** voici quelques–unes* – Here are some!

b With positive commands some pronouns and their positions differ slightly,* and hyphens are placed between the verb and the pronoun(s):

verb–	*le* *la–* *les*	*moi** *toi** *lui–* *nous* *vous* *leur*	*y–*	*en*	e.g. *donnez-le-moi!* – give it me! *lève-toi!* – get up! *allons-nous-en!* – let's go!

2 Use of y and en

a y replaces the directional preposition plus **any** impersonal object noun:
Je vais **au restaurant**. *(J'***y** *vais)*
Nous entrons **dans la salle à manger**. *(Nous* **y** *entrons.)*
Elle pense **à sa ligne**. *(Elle* **y** *pense.)*

b *en* replaces *de* plus **any** noun:
Il a **des catalogues.** *(Il* **en** *a)*
Il y a **des collègues** *avec vous? (Il y* **en** *a avec vous?)*
Elle est contente **de son séjour**. *(Elle* **en** *est contente)*
Note also: **En** *voici un(e)!* – Here's one!
　　　　　　En *voilà quelques-un(e)s* – There are some!

3 Possessive pronouns (mine, yours, his, etc.):

Masc.	Fem.	Plural
le mien	*la mienne*	*les miens/les miennes*
le tien	*la tienne*	*les tiens/les tiennes*
le sien	*la sienne*	*les siens/les siennes*
le nôtre	*la nôtre*	*les nôtres*
le vôtre	*la vôtre*	*les vôtres*
le leur	*la leur*	*les leurs*

e.g.: Votre voiture me plaît, mais je préfère **la mienne** – I like your car but I
　　prefer **mine**.
Combining with prepositions *à* and *de*:
Votre système de production est différent **du nôtre** – Your production system is
different **from ours.**
Comparé **au leur** *notre système est démodé* – Compared **to theirs** our system
is old-fashioned.

4 Disjunctive (emphatic) pronouns

moi	*nous*
toi	*vous*
lui	*eux*
elle	*elles*
(soi)	

The disjunctive pronouns are used:

a For one word answers:
Qui veut rester? – **Lui!**
Who wants to stay? – **He** (does)

b For emphasis:
Moi, *je reste, mais* **vous**, *vous partez!*
I'm staying but **you** are leaving!

c After prepositions:
Venez manger chez **nous!** – Come and eat at our place!
Je travaille avec **eux** – I work with them.

d For identification:
Le patron? – *C'est* **lui!** – The boss? That's him!
But note:
Ce **sont eux/elles** *qui travaillent ici* – They are the ones who work here.

e With comparisons after *que*:
*Nous vendons plus qu'***elle** – We sell more than she does.
*Vous êtes aussi importantes qu'***eux** – You are just as important as they are.

Reading & Reacting

A Les vins de Bordeaux

Les vins de Bordeaux, les rouges en particulier, s'améliorent en vieillissant. Gardez-les dans un endroit sombre et frais. Bien entendu, les bouteilles seront couchées pour que le vin reste au contact du bouchon.

Manipulez avec délicatesse les Bordeaux blancs qui doivent être bus très frais, mais non glacés et les Bordeaux rouges qui seront 'chambrés', c'est à dire amenés lentement à la température d'un appartement modérément chauffé.

La qualité des vins blancs comme des rouges s'épanouira mieux si vous débouchez une heure avant de servir. Cette légère aération favorise le développement du bouquet que vous percevrez mieux si vous remplissez votre verre seulement au tiers.

Une parfaite concordance entre le vin de Bordeaux et n'importe quel mets est toujours possible. Il est de tradition de boire:
Les vins rosés et clairets sur les hors-d'oeuvre, les entrées;
Les vins blancs secs et demi-secs sur les huîtres, les fruits de mer, et les poissons frits;
Les vins blancs liquoreux sur les poissons en sauce, le foie gras, les fruits, les desserts. On peut également les déguster sous forme d'apéritif;
Les vins rouges légers sur les volailles et les viandes blanches;
Les vins rouges corsés sur les viandes rouges, le gibier, les fromages.

L'accord des vins et des mets est cependant une affaire de goût personnel. Donc pas de règles rigides: les vins de Bordeaux vont avec tout.

Extrait de *L'art de servir les vins*, publié par les vignerons de Bordeaux

According to the text above:
a White Bordeaux should be served
  (i) with ice
 (ii) chilled
(iii) at moderate room temperature

b '*Chambré*' means
  (i) unheated (bedroom) room temperature
 (ii) average room temperature
(iii) kept in air-tight conditions

c Wine should be stored horizontally
  (i) to avoid sediment forming
 (ii) to reduce the amount of light striking the bottle
(iii) so that the cork does not dry out

d Bottles should be opened
  (i) one hour before drinking
 (ii) half an hour before drinking
(iii) at the last moment

e The above rule applies
  (i) to white wine only
 (ii) to red wine only
(iii) to both red and white wines.

f Your wine glass should be
  (i) filled as much as possible
 (ii) half filled
(iii) a third filled.

g This is to
  (i) avoid spillage
 (ii) to enable you to appreciate its 'nose'
(iii) to enable you to appreciate its colour.

h What type of Bordeaux wine should you drink with *'les crudités'*?

i What type of Bordeaux wine could you offer someone to drink before a meal?

j What type of Bordeaux wine should you choose if you were eating the *'faux filet grillé'* ordered in the rôle-play (see p.66).

B Peugeot/Renault

Compare the 1987 performance of Peugeot and Renault by completing, in English, as many of the boxes below as possible.

PEUGEOT S.A.

Le groupe PSA, l'un des premiers groupes industriels en France et 1er exportateur français en 1987 avec 60 milliards de francs réalisés à l'étranger, est passé cette même année de la 4e à la 3e place en Europe avec 12,14% du marché devançant ainsi Ford Europe. En 1987, le groupe PSA a produit 1 952 500 véhicules. Du point de vue financier, le groupe PSA a réalisé en 1987 le premier bénéfice net en France avec 6,7 milliards de francs, progressant ainsi de 87% par rapport à 1986. Le chiffre d'affaires de 118 167 millions de francs en 1987 a augmenté de 12,6%. La marge opérationnelle s'est accrue de 51% par rapport à 1986, la marge brute d'autofinancement a couvert à plus de 150% les investissements en immobilisations corporelles.
Sa réussite en 1987, PSA la doit à une politique systématique de renouvellement des gammes, de modernisation de l'outil de production, de développement des technologies nouvelles, de gain de productivité, d'amélioration de la qualité.

RENAULT

Les efforts accomplis depuis trois ans portent aujourd'hui leurs fruits : le groupe Renault a dégagé en 1987 un bénéfice de 3,7 milliards de FF, parmi les plus importants des entreprises françaises. Ce résultat a été obtenu grâce à une politique de rigueur affectant tous les secteurs de l'entreprise, grâce aussi à des gains substantiels de productivité ; il a été conforté par les bons chiffres de vente d'une gamme renouvelée.
Le chiffre d'affaires du groupe est de 147,5 milliards de FF, en progression de 9,3% sur 1986, concentré à près de 80% sur l'activité automobile. La production dans le monde a totalisé 1 903 708 véhicules, dont plus de 50% vendus en dehors de France.
Les budgets de recherche et d'études ont connu un accroissement sensible ; les investissements également, visant à la fois la modernisation de l'outil de production et le développement de la gamme.

		Peugeot	Renault
1	*Ranking amongst European car manufacturers*		
2	*Export performance*		
3	*Share of market*		
4	*No. of vehicles produced*		
5	*Profits*		
6	*Percentage increase in profits over previous year*		
7	*Turnover*		
8	*Reasons for success*	• • • • •	• • • • • •

Quelles sont les voitures de fonction?

Nombre de citations (en% du total)

Source : Executive Compensation Service

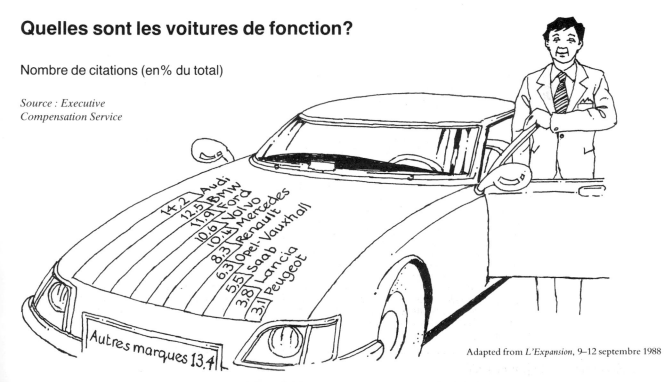

Adapted from *L'Expansion*, 9–12 septembre 1988

6 Conversation téléphonique

Les Français s'équipent....   ... pour tout faire sur Minitel

Mr Sanderson wishes to change the date of his meeting with M. Olivier of Amtec S.A. and telephones his office.

Listen to the recording of this telephone conversation and then answer the questions in Section A.

Vocabulaire		
	poste (m)	*extension*
	navré	*sorry*
	ennuyeux	*annoying/awkward*
	convenir (à qn)	*to suit*
	associé (m)	*associate/partner*
	déranger	*to disturb*
	se rendre compte	*to realise*
	agenda (m)	*diary*
	concessionnaire (m)	*agent*
	annuler	*to cancel*
	s'inquiéter	*to worry*
	faire la commission (à qn)	*to pass the message on*
	repousser	*to postpone*
	jour férié (m)	*holiday*
	veille (f)	*day before*
	disponible	*available*
	faire le pont	*to take an extra day off/make a long weekend of it*
	contretemps (m)	*inconvenience*

section a *Qu'avez-vous compris?*

1 Answer in English

a What number did Mr Sanderson dial?
b At what time is M. Olivier expected back?
c Why will it be difficult for Mr Sanderson to ring back at that time?
d What two suggestions does the secretary make to overcome the problem?
e Why does he want to change the date of his meeting with Mr Olivier?
f What two alternative dates does he suggest and why are they not possible?
g Where and at what time will they meet?

2 Answer in French

a Quel numéro Mr Sanderson a-t-il composé?
b Quel poste a-t-il demandé?
c Pourquoi la standardiste ne pouvait-elle pas lui passer le poste tout de suite?
d Pourquoi la secrétaire lui a-t-elle demandé de répéter?
e A qui Mr Sanderson voulait-il parler?
f Pourquoi ne pouvait-il pas lui parler?
g Pourquoi Mr Sanderson ne pourra-t-il pas rappeler plus tard?
h Pourquoi la secrétaire ne lui a-t-elle pas passé l'associé de M. Olivier?
i Est-ce que Mr Sanderson voulait annuler son rendez-vous avec M. Olivier?
j Pourquoi M. Olivier ne sera-t-il pas disponible le 14?

3 Translate

a Could I have extension 53 please?
b Hold the line.
c Its engaged. Can you hold?
d You're through. Go ahead (caller).
e Could I speak to M. Olivier please?
f Who shall I say is calling?
g It's, a very bad line. I can't hear very well.
h He's just gone out.
i That's awkward.
j He'll ring you back at a time that suits you.
k I can put you through to his partner if you like.
l There's no point in disturbing him.

m I had arranged to meet him this Tuesday.
n Don't worry
o I'll pass the message on.
p Same time, same place.
q Could you also convey my apologies for the inconvenience.
r Understood, I'll do it without fail.
s Sorry to have troubled you.
t Not at all. You're welcome, sir.

4

a *Imagine you are M. Olivier's secretary. Write a brief memo to him in French informing him of the main points of Mr Sanderson's call. You should mention:*
● the original meeting arrangements
● his reasons for changing the arrangements
● the new arrangements
● his apologetic tone
Begin your memo: Mr Sanderson des Ets. Solpex de Londres a téléphoné . . .

b *Working with a partner, imagine he/she is M. Olivier and you are the secretary. Give him/her an oral summary, in French, of your conversation with Mr Sanderson, making the points outlined in (a) above.*

Dialogue

Sanderson	. . . 92 87 65 71 . . .
Standardiste	La Société AMTEC, bonjour!
Sanderson	Bonjour Madame, *est-ce que je pourrais avoir le poste 53 s'il vous plaît?*
Standardiste	*Ne quittez pas . . . . . C'est occupé. Pouvez-vous patienter un instant ? . . . . .* Ah, voilà, *vous êtes en ligne maintenant, parlez!*
Sanderson	Allô? le poste 53?
Secrétaire	Allô, oui, j'écoute.
Sanderson	Ah, bonjour Mademoiselle. *Est-ce que je pourrais parler à Monsieur Olivier,* s'il vous plaît?
Secrétaire	*C'est de la part de qui?*
Sanderson	Monsieur Sanderson des Etablissements SOLPEX de Londres.
Secrétaire	Pardon? Qui est à l'appareil? Voulez-vous répéter s'il vous plaît; *la ligne est très mauvaise. J'entends très mal.*
Sanderson	Sanderson des Etablissements SOLPEX.
Secrétaire	Ah oui, bonjour Monsieur. Un instant, s'il vous plaît. Je vais voir s'il est là. Restez en ligne . . . . . Allô? je suis navrée, Monsieur Olivier n'est pas là. *Il vient juste de sortir* mas il sera sûrement rentré à 16 h 00 si vous voulez rappeler.
Sanderson	*C'est ennuyeux ça,* car j'ai un rendez-vous d'affaires à cette heure-là; il me sera difficile de rappeler.
Secrétaire	Si vous voulez bien me donner votre numéro de téléphone, *il vous rappellera à une heure qui vous convient* ou *je peux vous passer son associé si vous le désirez?*

Sanderson	Non, *ce n'est pas la peine de le déranger.* Si c'était possible, je préférerais laisser un message.
Secrétaire	Mais bien sûr. C'est de la part de Monsieur Sanderson; c'est bien ça, n'est-ce pas?
Sanderson	Oui, c'est ça. *Je lui avais donné rendez-vous pour ce mardi* 7 à 13 h 00 au Café de la Paix, Boulevard des Capucines, or, je viens de me rendre compte que je ne serai pas libre ce jour-là. Je viens de consulter mon agenda et j'ai rendez-vous avec un concessionnaire. Malheureusement je ne peux absolument pas annuler ce rendez-vous – je suis désolé.
Secrétaire	*Ne vous inquiétez pas, je lui ferai la commission.* Je suis sûre qu'il comprendra.
Sanderson	Pourriez-vous aussi lui dire que j'aimerais repousser notre rencontre au mardi suivant, *même endroit, même heure,* si cela lui convient.
Secrétaire	Ah, je regrette. Ce serait le 14 et le 14 est un jour férié. L'entreprise sera fermée.
Sanderson	Ah bon; et la veille, le 13, est-il disponible?
Secrétaire	Non, à cause du 14 juillet nous ferons le pont, mais le 15 je vois qu'il est disponible. Ça vous va?
Sanderson	Le 15 c'est parfait. *Pourriez-vous aussi lui présenter mes excuses pour ce contretemps?*
Secrétaire	*Entendu, je n'y manquerai pas.*
Sanderson	Je vous remercie Mademoiselle, et *excusez-moi de vous avoir dérangée.*
Secrétaire	*De rien. A votre service Monsieur.*
Sanderson	Vous êtes très aimable. Au revoir, Mademoiselle.

section b   *Exercises*

A *Simple Future/Pronouns*

Exemple: Vous *téléphonez au client aujourd'hui,* n'est-ce pas?
Réponse: Non, je *lui téléphonerai demain.*
Exemple: Il *est au bureau ce matin,* n'est-ce pas?
Réponse: Non, il *y sera cet après-midi.*

Now continue:

a Elle va en France cette année, n'est-ce pas?
b Vous rencontrez le directeur cette semaine, n'est-ce pas?
c On voit les représentants cet après-midi, n'est-ce pas?
d Il y a des huîtres ce mois, n'est-ce pas?
e Vous dînez avec les clients ce soir, n'est-ce pas?

B Future with 'if' sentences

Exemple: L'entreprise n'est pas ouverte aujourd'hui, mais si vous venez lundi . . . . . .
Réponse: Alors, si je viens lundi, l'entreprise sera ouverte. C'est bien ça?

Now continue:

a Vous ne pouvez pas parler au directeur maintenant, mais si vous rappelez cet après-midi . . .
b Les employés ne font pas grève pour l'instant, mais s'ils ne reçoivent pas d'augmentation de salaire . . .
c Il ne peut pas vous voir aujourd'hui, mais si vous lui donnez rendez-vous pour jeudi . . .
d Il n'y a personne pour l'instant, mais si vous pouvez rester en ligne . . .

C Concealed future

Exemple: Dites-lui de me téléphoner en rentrant. (dès que)
Réponse: D'accord, je lui *dirai* de vous téléphoner dès qu'il *rentrera*.

Now continue:

a Demandez-leur de nous écrire en arrivant. (quand)
b Expliquez-lui la raison de la hausse des prix en le voyant. (aussitôt que)
c Demandez-lui de me laisser un mot en partant. (quand)
d Dites-lui de m'envoyer un télégramme au reçu des résultats. (dès l'instant où)
e Dites-leur de rester aussi longtemps qu'ils veulent. (tant que)

D Conditional with bien

Exemple: Vous voulez une bière?
Réponse: Oui, je *boirais bien* une bière!

Now continue:

a Vous voulez une cigarette?
b Vous voulez un gâteau?
c Vous voulez aller en France?
d Vous voulez voir mes échantillons?
e Vous voulez faire le tour de l'usine?

E Conditional with 'if' sentences

Exemple: Et si vous étiez riche? (acheter une grosse voiture)
Réponse: Si j'étais riche, j'achèterais une grosse voiture!

Now continue:

a Et si vous parliez plusieurs langues? (trouver une meilleure situation)
b Et si vous ne pouviez pas venir? (annuler le rendez-vous)

Continue, giving suitable responses of your own:

Et si c'était un jour férié?
Et si les prix augmentaient?
Et s'il y avait un imprévu?

F Conditional in reported speech

Here is M. Olivier's diary for next week:

lun. 2 sept.	matin	prévenir Zurich de notre arrivée vendredi; retenir 2 chambres Hôtel Fürstenhof.
	après- midi	envoyer télex à Londres; écrire à Daumont et Frères, Marseilles.
mar. 3 sept.	matin	faire visiter l'usine aux Allemands
	après- midi	emmener Allemands à l'aéroport 14h30; passer coup de fil à Charles.
mer. 4 sept.	matin	envoyer lettre aux concessionnaires;
	après- midi	organiser programme pour réunion des concessionnaires le 18 oct.
jeu. 5 sept.	matin	commander nouveau photocopieur;
	après- midi	déjeuner avec rep. de chez Barillac; rencontrer Directeur Général 15h00.
ven. 6 sept.	matin	taxi à l'aéroport 11 h 00; rencontrer Charles bureau Air France 12h15
	après- midi	prendre vol AF180 pour Zurich; dép. C. de G. 14h00. arr. Zurich 15h30

You are M. Olivier's secretary and you receive a telephone call from his partner M. Charles Bosson, who wants some information about M. Olivier's plans for next week.

Answer M. Bosson's questions by consulting the diary. For example:

Bosson Quand est-ce qu'il *va rencontrer* le Directeur Général?
Secrétaire Il a noté qu'il le *rencontrerait* jeudi après-midi à 15h00.

Now answer M. Bosson's other questions, beginning your replies with:

(Oui), il a noté que (qu') . . .

ℚ *Rôle-play*

You wish to postpone your 12h30 meeting with M. Ilien of Delmas S.A. originally scheduled for Thursday 11th, to the following Tuesday, same time same place. Your call is answered by the receptionist at their main switchboard.

Standardiste   Allô, la Société Delmas. Bonjour.

■ (Good morning, could you have ext.198 please.)

Standardiste   Oui, un instant . . . . . voilà, vous êtes en ligne.

■ (Hello, you would like to speak to M. Ilien please.)

Secrétaire   C'est de la part de qui?

■ (Give your name and firm.)

Secrétaire   Ne quittez pas. Je vais voir si M. Ilien est disponible . . . . . Allô, je suis désolée, mais il vient juste de sortir. Pourriez-vous le rappeler vers 14h00 à son retour au bureau, ou plus tard dans l'après-midi si cela vous convient mieux?

■ (At 2.00 p.m.! Unfortunately you have a business appointment at that time, and later it will also be difficult for you to ring back.)

Secrétaire   Voudriez-vous parler à son associé?

■ (No thank you. There's no need to disturb him. Could you leave a message?)

Secrétaire   Un message? Mais certainement. Qu'aimeriez-vous lui dire?

■ (Could she tell M. Ilien that you are very sorry but you won't be able to meet him as arranged at 12h30 on Thursday 11th. as you must see one of your agents on that day to sort out[1] an urgent problem.)

Secrétaire   Ne vous inquiétez pas; je lui ferai la commission et je suis sûre qu'il comprendra. Voulez-vous prendre un autre rendez-vous?

■ (Yes; you just[2] wanted to postpone the meeting, not cancel it.)

Secrétaire   Alors, quelle heure et quel jour vous conviendraient le mieux?

■ (What about the following Tuesday in his office — at about 12h30? So that would be at the same time and place, if that's alright with him.)

Secrétaire   Attendez que je consulte son agenda pour vérifier s'il est bien disponible ce jour-là . . . . . Oui, pas de problème, il est libre à partir de midi. Donc, disons le 16 à 12h30 dans son bureau.

■ (That's right.)

Secrétaire Alors, entendu. C'est noté et je lui dirai sans faute, mais au cas où il y aurait un imprévu où pourrait-il vous joindre pour vous prévenir? Pouvez-vous me donner vos coordonnées?*

■ (At your hotel. You are staying[3] at the Arcade, Paris Cambronne and the telephone number is 45 67 35 20. You are in room 179.)

Secrétaire Très bien, c'est noté.

■ (You will be leaving the hotel early on the morning of the 16th. – probably at about 09h00 as you intend to return to England later that day[4] and you'll have several things to do.)

Secrétaire Soyez tranquille, s'il y avait un imprévu, je vous passerais un coup de fil avant mardi.

■ (That's very kind of her. Thank her.)

Secrétaire Je vous en prie.

■ (Apologise for having disturbed her and say good-bye.)

[1] résoudre
[2] simplement
[3] use 'être'
[4] dans la journée
*donner ses coordonnées *to give one's whereabouts*

Grammar

1 *Future*

a Formation:	**Future Stem** +	**Future Endings**
	Formed by taking the infinitive up	Same for all verbs:
Regular Verbs	to final 'r', i.e.,	*je* −*ai*
	arriver→*arriver*–	*tu* −*as*
	finir → *finir*–	*il* −a
	vendre→ *vendr*–	*elle* −a
		nous −*ons*
		vous −*ez*
		ils −*ont*
		elles −*ont*
Irregular Verbs	No rule. Stems must be learned separately, e.g.,	*(note: a convenient way of remembering these endings is to think of the present tense of 'avoir'*
	être→ *ser*–	
	avoir→*aur*–	
	faire→*fer*–	
	aller→*ir*–	

b Use:

(i) *je* **partirai** *la semaine prochaine* – **I shall leave** *next week.*

S'il pleut, elle **restera** *à la maison* – *If it rains, she* **will stay** *at home.*

(ii) To express the 'concealed' future when implied after *quand, dès que, aussitôt que,* etc.:

*quand j'***aurai** *18 ans j'***irai** *en faculté* – *When* **I am** *18* **I shall go** *to university.*

Dès que je **saurai** *je vous le* **ferai** *savoir* – *As soon as* **I find out I'll let you know.**

Note that the immediate future is usually expressed in the same way as in English, i.e. by the present tense of *aller* + infinitive:

Qu'est-ce que vous allez faire maintenant? Je vais lui téléphoner. What are you going to do now? I'm going to phone him.

2 *Conditional*

a Formation:

	Future Stem +	**Imperfect Ending**
	See 1(a) above.	See p. 39

Conditional of *avoir:*

j'aurais	*nous aurions*
tu aurais	*vous auriez*
il aurait	*ils auraient*
elle aurait	*elles auraient*

b Use:

(i) Translates 'should/would do':

Je **voudrais** *une chambre* – **I would like** a room.

Si nous voulions apprendre le français, nous **irions** *en France* – If we wanted to learn French we **would go** to France.

Note the idiomatic form:

Vous me le **demanderiez** *mille fois, je n'***accepterais** *pas* – If you asked me a thousand times I wouldn't accept.

(ii) With *bien* to express 'could just do (with)'/'would really like to':

Je **mangerais bien** *quelque chose de bon* – I could just eat something good.

Je **fumerais bien** *un cigare* – I could just smoke a cigar.

Nous **resterions** *bien quelques jours de plus* – We would really like to stay a few more days.

(iii) In reporting (newspapers, etc.) to imply rumour/hearsay:

Il y a eu un accident de voiture, les occupants **seraient** *grièvement blessés* – There has been a car accident, it seems/it would appear the passengers are seriously injured.

(iv) Direct Speech → Indirect Speech.

As in English, if the future tense is used in direct speech, this becomes conditional in indirect (reported) speech:

Direct Speech: "*J'arriverai* à 09h00." I *shall arrive* at 09h00.

Indirect Speech: Il a dit qu'il *arriverait* à 09h00 he said he *would arrive* at 09h00.

The same rule applies with the concealed future (see notes on future tense 1(b) (ii) above):

Direct Speech: "Appelez-moi quand vous *serez* au bureau!"
Indirect Speech: Il m'a dit de l'appeler quand il *serait* au bureau.

Reading & Reacting

A   *Minitel bat ses records*

Minitel bat ses records

POUR la première fois en avril, le trafic sur minitel a franchi la barre des 20 millions d'appels par mois, soit 2,3 millions d'heures de consultations mensuelles. Presque trois fois plus qu'en avril 1985. Avec un parc de 1,7 million de terminaux (fin mai 86), le minitel est aujourd'hui adopté par les Français.

Le grand public a ses gros utilisateurs, mais ils restent minoritaires: 6% l'utilisent tous les jours en zone Emeraude où le minitel est distribué sans supplément d'abonnement. Ils sont 19% en zone Rubis où l'abonné acquitte un abonnement de 85 F par mois (pour le Minitel 1). Ceux qui consultent régulièrement —au moins deux fois par semaine— sont de plus en plus nombreux: 44% en 86 en zone Emeraude (36% en 85). La durée moyenne d'un appel déclaré par les interviewés dépasse 5 minutes.

L'annuaire électronique reste, de loin, le service le plus consulté: 93% des particuliers déclarent l'interroger. Les «multiutilisateurs», ceux qui consultent à la fois l'annuaire et les services Télétel (banque, tourisme, transports, VPC, presse, jeux, etc. . .) gagnent du terrain: 53% dans la zone Emeraude (44% en 85). Cette progression est due à la fois à une meilleure connaissance des services et à leur plus grande diversité: on en recense aujourd'hui plus de 3 000 contre 1 265 à la fin 85.

Les trois quarts des particuliers (72%) connectent leur minitel «pour obtenir une information précise» (64% en 85), 43% «parce que c'est pratique» (27% en 85) et 26% «parce que c'est rapide» (16% en 85). Huit utilisateurs sur dix (83%) se déclarent «plutôt» ou «très satisfaits» (60% en 85). Mais 29% souhaitent des services moins chers (40% pour ceux qui louent leur minitel) et 92% désirent davantage d'informations sur les services proposés.

SERVICES LES PLUS CONSULTES PAR LES PARTICULIERS

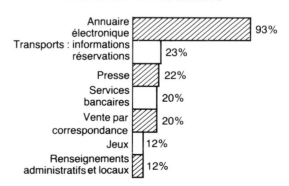

Annuaire électronique — 93%
Transports : informations réservations — 23%
Presse — 22%
Services bancaires — 20%
Vente par correspondance — 20%
Jeux — 12%
Renseignements administratifs et locaux — 12%

All Minitel related extracts from *Messages des PTT*, no 358 juillet – août 1986

1 Answer in English

a What three figures are given concerning the monthly utilisation of the MINITEL service?
b Explain the difference between the 'Emerald' and 'Ruby' zones.
c Approximately how many different services does MINITEL offer?
d What is the definition of a 'mini-utilisateur'?

2 Express in French

a the general public
b the subscriber
c without additional rental charge
d mail order selling
e directory

3 Complete, in English, the three blank boxes below:

POURQUOI SE SERT – ON DU MINITEL?

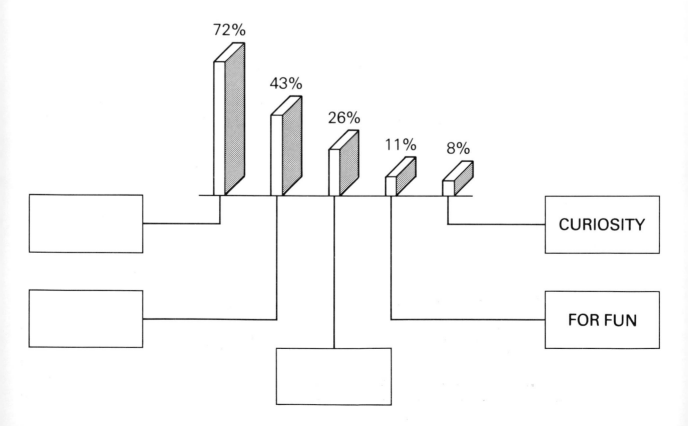

B *Le Minitel a réponse à tout*

LE MINITEL A REPONSE A TOUT

Il n'y a pas que «Alerte Bleue» ou «Aime-moi Mimi» sur le minitel. Chaque semaine, de nouveaux services voient le jour. En voici quelques – uns parmi les plus utilisés ou . . . les plus insolites.

● Prendre son billet de train sans bouger de chez soi (Télétel 3): composer le 36 15 et taper SNCF.

● A quelle heure tous les vols en partance (T3): composer le 36 15 (Télétel 3) et taper HORAVION.

● Les conditions de circulation routière (T3): composer le 36 15 et taper INFORO-UTE.

● Des précisions sur les services de la Poste et des Télécoms: composer le 11 (annuaire électronique) et ensuite sommaire ou le 36 19 91 11, là ou l'accès par le 11 n'est pas ouvert.

● Vérifier l'heure de la séance d'un film (T3): SCOPE, LIBE, PL.

● Flashes d'information (T3): PL, LIBE, OBS et de nombreux quotidiens.

● Commander un nouveau livre (T2): LOM-BARD.

● Quels services dans les stations de sports d'hiver (T3): SKITEL.

● Où suivre un stage de tennis (T3): TEN.

● Où jouer au squash (T3): SQUASH.

● Où dîner ce soir (T3): AZP.

● Faire son marché de chez soi (T2): CADITEL.

● Où passer ses prochains vacances. (T2): VGL (Voyagel).

● Trouver un hôtel (T2): RIFTEL.

● Quel est le centre d'orientation le plus proche (T3): SEVI (Onisep).

● Apprendre les langues par minitel (T2): CPLE (Linguatel), sur abonnement.

● Avoir des traductions en langue étrangère (T3): MITRAD.

Et aussi:

● Commander les produits et vins du terroir (T3): AV et AVT.

● Choisir un véhicule d'occasion (T3): Argus ou AAT . . .

● Commander des plantes pour son jardin (T2): INTEX puis taper TELEROSE.

● Où rencontrer des poètes (T3): CLP.

● Pronostics sur les courses hippiques (T2): PMU.

● Le suivi des devoirs des enfants de 17 à 19 h (T3): CRACJ.

● Comment faire un régime (T2): REGIM.

● Comment mieux comprendre la Bible (T3): DEXTEL.

Messages
No 358 JUILLET-AOUT 1986

Using your MINITEL how would you:

a Find out road and traffic conditions before leaving on a car journey?
b Obtain information on the various services offered by the French Post Office?
c Seek advice on how to diet?
d Go about getting a translation from Japanese into French?
e Find out the price of a three year old Renault 5?

C Les Jours fériés de l'Europe

LES JOURS FERIES DE L'EUROPE

Ah! les jours fériés du mois de mai. Fournisseurs, clients, salariés, tous absents. Il faut anticiper ou rattraper. France fêteuse ou France paresseuse? Comparée aux différents pays de la Communauté, avec 13 jours fériés (dont les dimanches de Pâques et de Pentecôte), la France et l'Italie occupent le milieu du tableau. Championne du minimum de jours fériés: l'Irlande, avec 10 jours. Championne du maximum: l'Espagne, avec 18 jours, tout près de l'Allemagne (17 jours). Mais bien loin de la Grèce et des Pays-Bas (11), du Danemark (12), de la Belgique et du Portugal (14), de la Grande-Bretagne et du Luxembourg (15). (Dans certains pays, il y a des jours fériés de portée régionale qui ne figurent pas dans ces moyennes.)

L'Entreprise, février 1989

Complete the table below for the twelve countries mentioned in the article, commencing with the country with the most public holidays.

	country	no. of national holidays per year
a		
b		
c		
d		
e		
f		
g		
h		
i		
j		
k		
l		

Les Vacances des Français

La France étant un pays de tradition catholique, la plupart des jours de congé sont de fêtes religieuses plutôt que civiles. En général, si le jour férié tombe un mardi ou un jeudi, les Français 'font le pont', et ne travaillent pas le lundi ou le vendredi pour avoir quatre jours de congé de suite.

Les Français ont droit à cinq semaines de vacances par an. Beaucoup d'entre eux prennent quatre semaines de vacances l'été – surtout en juillet ou en août, et une semaine l'hiver (parfois à la neige). Les commerçants ferment leur magasin en septembre.

Calendrier des fêtes

1 er janvier	le Jour de l'An
mars ou avril	Pâques* le lundi de Pâques
1er mai	la Fête du Travail
8 mai	la Fête de la Liberté et de la Paix (commémorant la victoire de 1945)
mai (un jeudi)	L'Ascension
mai ou juin	la Pentecôte le lundi de Pentecôte
14 juillet	la Fête Nationale (commémorant la prise de la Bastille)
15 août	L'Assomption
1er novembre	la Toussaint
11 novembre	la Fête de la Victoire (commémorant l'armistice de 1918)
25 décembre	Noël

*le vendredi saint n'est pas un jour de congé en France, sauf en Alsace où il y a une tradition protestante.

7 Reparlons affaires

Mr Sanderson continues his business discussion with Mme Legrand after lunch.

Listen to the recording and then answer the questions in Section A.

Vocabulaire

bas(se)	low
rivaliser	to compete
concurrent (m)	competitor
fusionner (avec)	to merge (with)
P.M.E. Petites et Moyennes Entreprises	
informatiser	to computerise
fabrication (f)	manufacture
procédé (m)	procedure
emballage (m)	packaging
dorénavant	from now on
délais (de livraison) (mpl.)	(delivery) schedules/times
cadre (m)	manager
ouvrier (m)	worker
patronat (m)	employers
syndicat (m)	trade union
concertation (f)	cooperation (between management and workers)
conflits sociaux (m.pl.)	industrial unrest/action
chômage (m)	unemployment
chômeur (m)	unemployed person
les pays en voie de développement (m.pl.)	developing countries

débouché (m)	(sales) outlet/opportunity
écouler (marchandise)	to sell (goods)
haut/bas de gamme	top/bottom of the range
C.E.E. (f)	Communauté Economique Européenne
chiffre d'affaires (m)	turnover
faire remarquer (qc à qn)	to point (sthg) out (to sbdy)
embaucher	to take on (workers)

section a   *Qu'avez-vous compris?*

1 Answer in French

a De combien les prix ont-ils augmenté?
b Quels sont les concurrents à redouter?
c Qu'est-ce qui s'est passé en '83?
d Quels changements ont eu lieu après la fusion?
e Depuis combien de temps le nouveau procédé d'emballage existe-t-il?
f Pourquoi la secrétaire a-t-elle dérangé Mme Legrand?
g Comment sont les rapports entre le patronat et les syndicats?
h Que dit Mr Sanderson à propos du nombre de chômeurs?
i Dans quels pays espèrent-ils vendre leur nouveau produit haut de gamme?
j Que dit M. Sanderson à propos du chiffre d'affaires?

2 Translate

a In several fields.
b At the present time.
c One must move with the times.
d We have just introduced a new packaging process.
e Within the shortest possible time.
f In the event of a strike.
g I'm sorry to interrupt.
h Would you please excuse me a moment?
i Where were we?
j That's outside our control/not of our making.
k Our manager-worker relations are good.
l Let's hope so!
m It can't happen overnight.
n It's still too early to say.
o But to get back to your company . . .
p How's business?
q As far as we're concerned . . .
r I would also point out . . .
s Business is good.
t It (business) is improving.

Dialogue

Legrand Reparlons affaires . . .

Sanderson Je vous disais donc qu'en dépit des 2,5% d'augmentation, nos prix restaient les plus bas sur le marché.

Legrand Vraiment? Vous êtes capables de rivaliser avec les Japonais? Ce sont des concurrents sérieux *dans divers domaines à l'heure actuelle!*

Sanderson Oui, car notre usine a eu le mérite de se moderniser très tôt. En '83 notre société a fusionné avec Seymore & Co., une entreprise qui avait, depuis des années, une très bonne réputation pour la qualité de tous ses produits, et les deux PME ne faisant qu'une ont été entièrement restructurées et les services ont été informatisés.

Legrand Ah oui, *il faut bien s'adapter aux temps modernes.*

Sanderson Prenez aussi nos méthodes de fabrication; elles sont ultra-modernes, et *nous venons d'inaugurer un nouveau procédé d'emballage* – un procédé qui n'existe que depuis '88 et qui facilitera la rapidité des expéditions. Vous recevrez dorénavant vos commandes *dans les délais les plus brefs.*

Legrand C'est à dire? Quels sont vos délais de livraison?

Sanderson Il faut compter à peu près une quinzaine de jours, trois semaines au maximum. Et nous nous engageons à respecter les dates de livraison.

Legrand Parfait! Même *en cas de grève?*

(Le téléphone intérieur sonne – c'est la secrétaire de Mme Legrand.)

Secrétaire *Excusez-moi de vous déranger* Madame, mais Monsieur Bertrand voudrait vous voir.

Legrand *Veuillez m'excuser un instant* Monsieur Sanderson . . .

Sanderson Je vous en prie!

Legrand Je suis désolée. Reprenons notre conversation. *Où en étions–nous?* Ah oui, nous parlions des délais de livraison. Vous veniez de me dire que vous garantissiez les livraisons même en cas de grève. C'était bien ça, n'est-ce pas?

Sanderson Ah non, car *cela est indépendant de notre volonté!* Mais depuis des années *nos rapports cadres-ouvriers sont bons* – un véritable dialogue s'est établi entre le patronat et les syndicats.

Legrand Vous pratiquez donc la 'concertation' – ce n'est pas un mot très à la mode!

Sanderson Peut-être, mais nous bénéficions en ce moment d'une période de stabilité sans conflits sociaux.

Legrand Et en ce qui concerne le chômage, pensez-vous qu'il va beaucoup diminuer?

Sanderson *Espérons que oui,* mais *cela ne peut pas se faire du jour au lendemain. Il est encore trop tôt pour se prononcer,* mais depuis quelque temps le nombre de chômeurs baisse.

Legrand *Mais pour en revenir à votre entreprise, comment vont les affaires?*

Sanderson *En ce qui nous concerne* nous avons réussi à nous implanter dans plusieurs pays en voie de développement, où nous avons ouvert de nouveaux marchés et trouvé de nouveaux débouchés pour écouler notre marchandise bas de gamme. Bien sûr nous comptons sur les pays de la CEE pour la vente de notre nouveau produit haut de gamme.

Legrand Celui que vous venez de me montrer.

Sanderson C'est ça. Dans l'ensemble nous nous tournons de plus en plus vers l'exportation, et cette année notre chiffre d'affaires a largement dépassé celui de l'année dernière. Il a augmenté de 20%. *Je vous ferais aussi remarquer* que notre société vient d'embaucher du personnel supplémentaire.

Legrand Donc *les affaires vont bien?*

Sanderson Disons qu'*elles vont mieux!*

section b   *Exercises*

A 'Have/has just done'

Present tense of *venir de* + infinitive.

Exemple: Avez-vous inauguré un nouveau système d'emballage?
Réponse: Oui, nous venons d'inaugurer un nouveau système d'emballage.

Now continue:

a Ont-ils restructuré les deux firmes?
b A-t-il vendu ses produits?
c Avez-vous vu le directeur?
d Est-ce que leur chiffre d'affaires atteint 10 milliards de francs?
e Est-ce que les secrétaires se sont présentées?

B 'Had just done'

Imperfect tense of *venir de* + infinitive.

You are telling a French client about events which had just taken place when certain staff joined the firm.

Exemple:

nouveau PDG	amélioration des rapports cadres-ouvriers

Réponse:

Quand le nouveau PDG a commencé à travailler chez nous, on venait d'améliorer les rapports cadres-ouvriers.

Now continue:

a

nouveau chef du marketing	fusion avec Seymore & Company

b

nouvelle secrétaire	informatisation de tous les services

c

nouveau directeur commercial	implantation dans plusieurs pays étrangers

d	nouveau chef du personnel	embauche de 50 ouvriers supplémentaires

C Depuis + *present tense*

Example: Utilisez-vous des ordinateurs? (*for 2 years*)
Réponse: Nous utilisons des ordinateurs depuis deux ans.

Now continue:

a Est-ce que l'usine a 2000 employés? (*since 1984*)
b Y a-t-il un bon système d'emballage? (*for a long time*)
c Est-ce que votre chiffre d'affaires dépasse 10 milliards de francs? (*since last year*)

Continue, giving suitable different time expressions of your own:

d A-t-il une bonne situation?
e Font-ils de bonnes affaires?
f Est-ce que vous pratiquez la concertation?

D Depuis + *imperfect tense*

Exemple: Est-ce qu'il travaille en ville? (*Two years*)
Réponse: Oui, quand je l'ai vu, il travaillait en ville depuis deux ans.

Now continue:

a Est-ce qu'ils font de bonnes affaires? (*several years*)
b Est-ce que la secrétaire apprend l'anglais? (*six months*)
c Est-ce qu'elles habitent Londres? (*a few weeks*)
d Est-ce qu'ils fabriquent des pièces détachées? (*a long time*)

E Imperfect and Perfect

Using the Imperfect or Perfect tense as required, link the following 'pairs' using: parce que/quand/lorsque/pendant que *as appropriate:*

Exemple: Ils (visiter) l'usine.
Ils (faire) la connaissance du directeur.
Réponse: Pendant qu'ils visitaient l'usine, ils ont fait la connaissance du directeur.

Now continue:

a Ils (recevoir) une forte augmentation.
Ils (travailler) chez Ford.

b Elle (être) en Angleterre.
Elle (acheter) un pullover.

c Je (aller) en France.
Il y (avoir) une place de libre.

d Nous (voir) que nous (pouvoir) faire un bénéfice.
Nous (regarder) les chiffres.

F Translation/Interpreting

The following passage can be used as a) a written (translation) exercise or b) a spoken (interpreting) exercise.

For interpreting practice, the passage is recorded on the accompanying cassette with pauses at the points marked / followed by the suggested French version. A written translation is provided in the key.

Mr Sanderson's company SOLPEX/merged with Seymore & Co. some years ago/and was completely restructured and computerised./Mr Sanderson said/they had the most up-to-date production methods/and had just introduced a new packaging system/to speed up deliveries.

Mr Sanderson said that they couldn't guarantee to deliver/in the event of industrial action,/ but for several years now/their manager-worker relations had been good.

When Mme Legrand asked if business was good, / he said it was much better. / They had two new products,/ and, with an increase in turnover of 20%,/ had just taken on new staff./They were now concentrating* more and more on exports, / not only in the EEC countries, / where there was a market for their top-of-the-range products, / but also in the developing countries / where they hoped to sell their new bottom-of-the-range product.

*viser qch.

Rôle-play

Play the rôle of Mr Sanderson in the following conversation with Mme Legrand.

Legrand   Vous parliez d'une augmentation de vos prix n'est-ce pas?

Sanderson   (Yes, 2.5%, but your prices are very competitive. They are still the lowest on the market.)

Legrand   Et êtes-vous capables de rivaliser avec les Japonais qui dominent de plus en plus le marché?

Sanderson	(Yes, because in 1983 your company merged with another firm, and the new company was completely restructured and computerised.)
Legrand	Ça a dû être une tâche énorme! Quels changements avez-vous apportés?
Sanderson	(You use the most up-to-date manufacturing methods, and your new packaging system didn't exist before 1988!)
Legrand	Quel avantage ce procédé offre-t-il?
Sanderson	(It speeds up dispatch and deliveries.)
Legrand	J'allais justement vous demander . . . Il faut prévoir combien de temps pour recevoir les commandes? Quels sont vos délais de livraison?
Sanderson	(About a fortnight; three weeks at the outside.)
Legrand	Et vous garantissez la livraison même en cas de grève?
Sanderson	(No, as this would be outside your control. But for many years your management-worker relations have been very good.)
Legrand	Et en ce qui concerne le chômage, comment est la situation actuelle? Est–ce qu'elle s'aggrave ou est-ce qu'elle s'améliore chez vous?
Sanderson	(For some time now the number of unemployed has been going down).
Legrand	Mais pour en revenir à votre société . . . Vous traversez une période de croissance en ce moment?
Sanderson	(Yes, business is much better. Turnover is up 20% and you have just taken on extra staff.)
Legrand	Est-ce que les exportations ont joué un grand rôle dans cette croissance?
Sanderson	(Of course. You are concentrating more and more on exports. You have just brought out* two new products, and you hope to sell one in the EEC and the other in the developing countries.)
Legrand	Alors, j'espère que vous y parviendrez!
Sanderson	(Let's hope so!)

*sortir

Grammar

1 Depuis

a *Depuis* + **Present Tense** – 'has/have been doing for . . .'
J'apprends le français *depuis* cinq ans – I **have been learning** French **for** five years.
*Depuis combien de temps **travaillez-vous** ici?* – how long **have you been working** here?

b *Depuis* + **Imperfect Tense** – 'had been doing for . . .'
Il **était** *là* **depuis** *dix minutes quand je suis arrivé* – He **had been** there **for** ten minutes when I arrived.
Depuis quand attendaient-ils? How long **had they been waiting?**

2 Have just/Had just

a The same tenses are used with *venir de* + infinitive to express 'have/has just done' (Present tense) and 'had just done' (Imperfect tense):
Je **viens de voir** *le directeur* – I **have just seen** the manager.
Il **vient de trouver** *une bonne situation* – He **has just found** a good job.
Elle **venait d'arriver** *quand le téléphone a sonné* – She **had just arrived** when the telephone rang.

3 Imperfect[1] and Perfect[2] together

IMPERFECT	**PERFECT**
'Background' tense to set scene and describe:	To express action, i.e., what happened:

Pendant que *j'attendais* le soleil
brillait et il **faisait** très
chaud. Les gens **étaient** assis
à des tables et **discutaient.** *Tout d'un coup une voiture*
                        s'est arrêtée, *deux hommes*
                        sont descendus *et m'***ont**
                        demandé *si je*
savais où **se trouvait** la
banque. Comme ils **portaient**
des masques et des révolvers je me **suis rendu** *compte qu'il*
allait *se passer quelque chose et je leur* **ai indiqué** *le*
                        chemin du . . . commissariat
                        de police!

Notes

[1] See Grammar notes to Chapter 3 for more detailed explanation of uses of the Imperfect.
[2] See Grammar notes to Chapter 4 for more detailed explanation of uses of the Perfect.

Reading & Reacting

A L'Ardoise anglaise

L'ardoise anglaise
La balance plonge du mauvais côté

Si la France connaissait le déficit commercial de la Grande-Bretagne, elle aurait déjà explosé. L'an dernier, les importations britanniques ont dépassé les exportations d'environ 230 milliards de francs. Et les résultats pour janvier, cette année, ne sont guère encourageants: 2,1 milliards de livres de déficit, soit près de 23 milliards de francs pour un seul mois, ce qui n'est pas très éloigné des 33 milliards de déficit de la France, mais pour l'ensemble de l'année 1988!

Industrie handicapée par une livre trop forte, faiblesse des prix du pétrole, les difficultés du commerce extérieur britannique ne sont pas seulement mécaniques. Pour apaiser la surchauffe (boum de la consommation et de l'investissement), Nigel Lawson, le chancelier de l'Echiquier, s'interdit d'agir autrement que par la politique monétaire (les taux d'intérêt sont passés de 7,5 à 13% en six mois). Il ne peut plus toucher aux salaires. Et, dans le budget 1989–1990, il a renoncé à baisser les impôts, alors que l'énorme excédent (180 milliards de francs) l'y autorisait. Une question: si la politique monétaire est la seule qui vaille, le Royaume-Uni ne devra-t-il pas décréter des taux d'intérêt de crise? P.B.

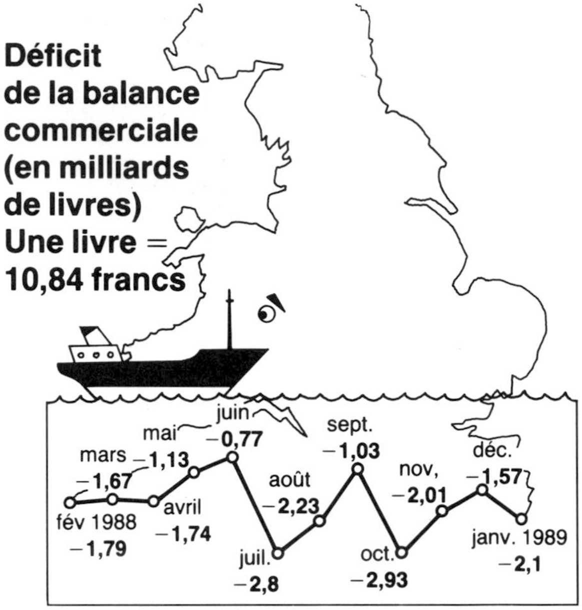
Déficit de la balance commerciale (en milliards de livres) Une livre = 10,84 francs
fév 1988 −1,79
mars −1,67
avril −1,74
mai −1,13
juin −0,77
juil. −2,8
août −2,23
sept. −1,03
oct. −2,93
nov. −2,01
déc. −1,57
janv. 1989 −2,1

Le Point, no 861, 20 mars 1989

Answer the following questions in English.

a What do the following figures represent:

i 33
ii 180
iii 2.1
iv 230
} billion francs?

b What two factors are adversely affecting Britain's overseas trade?
c What are the signs that the British economy is overheating?
d What action has the Chancellor of the Exchequer taken to remedy this?

B La France en 2010

La France en 2010

▲ Davantage de services et d'électronique, moins d'agriculture et de textile: la physionomie de l'économie français devrait changer assez sensiblement d'ici à l'an 2010. Telle est l'une des principales conclusions du Bipe, qui vient de faire tourner pour la première fois un modèle de prévisions sectorielles à long terme baptisé Diva. Dirigée par Hervé Passeron, chef du département mésoéconomie et économétrie du Bipe, et par Fabrice Hatem, économiste à EDF, cette étude, qui a pour but d'aider les entreprises à mieux lire l'avenir, se fonde sur un scénario de référence de l'évolution de l'économie mondiale.

Celle-ci croîtrait de 3,1% en moyenne au cours de la période contre 2,6% pour l'Europe et un peu moins encore pour la France, laquelle bénéficierait toutefois d'une accélération progressive d'ici à la fin du siècle. De cette étude, riche d'informations et de chiffres, il ressort que l'arsenal industriel de la France demeurerait assez complet après le cap de l'an 2000: nous continuerions d'être un pôle important de production de voitures et d'avions, tout en conservant un certain nombre d'atouts dans la plupart des industries de base (par exemple la parachimie ou les métaux non ferreux). Globalement, c'est l'agriculture qui serait la grande perdante des vingt-cinq prochaines années en matière de croissance, tout en parvenant cependant à gagner des parts de marché sur le Vieux Continent.   R.D.

PALMARES DES SECTEURS (taux de croissance annuels moyens entre 1985 et 2010)	
LES LOCOMOTIVES	
Télécommunications	**+5,3%**
Matériel électrique et électronique	**+4,9%**
Services financiers	**+4,7%**
Construction aéronautique et navale	**+4,0%**
Assurances	**+3,8%**
Parachimie	**+3,2%**
Electricité-gaz	**+3,2%**
LES TRAINARDS	
Charbon	**−5,7%**
Sidérurgie	**0%**
Pétrole	**+0,8%**
Textile-habillement	**+0,9%**
Agriculture	**+0.9%**
Chimie	**+1,4%**
BTP	**+1,8%**

L'Expansion 17/30 juin 1988

According to the article above, between 1988 and 2010 . . .

a Which sectors of the French economy are likely to decline?
b Which sectors are likely to increase in importance?
c What is the predicted growth of (i) the world economy; (ii) the French economy?
d What manufactured goods will France still continue to produce?
e What other industries will still be profitable?

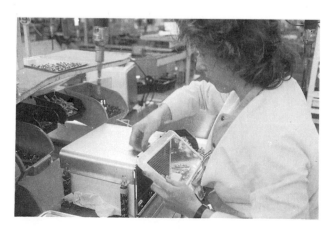

Au centre commercial

Mr Sanderson visits Parly 2 where he seeks the advice of a sales assistant on the purchase of gifts.

Listen to the recording and then answer the questions in Section A.

Vocabulaire	conseiller	to advise
	foulard (m)	scarf
	soie (f)	silk
	coloris (m)	shade/colour
	impression (f)	pattern
	motif (m)	design
	inattendu	unusual
	rayon (m)	department/counter (of large store)
	maroquinerie (f)	fancy/fine leather
	peau (f)	hide/leather
	pochette (f)	slim (evening) handbag
	veau (m)	calf-skin
	verni	patent (leather)
	fermeture (f)	fastener; clasp
	dépenser	to spend
	bénéficier (de)	to get the benefit (of)/to enjoy
	frais (mpl.)	costs/expenses
	doublé	lined
	confiserie (f)	confectionery, sweets

section a *Qu'avez vous compris?*

1 *Answer in French*

a Pour qui Mr Sanderson cherchait–il un cadeau?
b Pourquoi ne voulait–il pas lui acheter du parfum?
c Pourquoi a–t–il décidé de ne pas acheter un foulard?
d Il faudrait qu'il dépense combien pour pouvoir bénéficier de la 'détaxe'?
e Décrivez le cadeau qu'il a finalement décidé d'acheter.
f Combien l'a–t–il payé?
g Comment l'a–t–il payé?
h Quels conseils la vendeuse lui a–t–elle donnés pour son deuxième cadeau?
i Où va–t–il aller pendant qu'elle termine son paquet?
j Que fera–t–il après?

2 *Translate*

a I would like to surprise her.
b Something that might appeal to her.
c That's a good idea!
d I hadn't thought of that.
e Would your wife like it (f)?
f How much is that one (f)?
g Let me think for a moment . . .
h How much would I have to spend?
i You are entitled to 23%.
j This one (m) is 189F.
k I'll wrap it up nicely for you.
l Could you advise me?
m It's customary to give flowers.
n To think I went past a florists this morning!
o See you later!

Dialogue

Sanderson Bonjour, madame. J'aimerais rapporter quelque chose à ma femme, mais chaque fois que je viens à Paris, je lui achète du parfum. Or, cette fois-ci, *je voudrais lui faire une surprise.* Que me conseillez-vous?

Vendeuse Vous pourriez, pour changer, lui offrir un foulard de soie de grande marque*. Regardez ces coloris et ces impressions. C'est original, n'est-ce pas? Serait-elle sensible à ce genre de motif moderne? Ou préférerait-elle quelque chose de plus classique, comme celui-ci?

Sanderson C'est difficile à dire, mais, voyez-vous, j'aurais voulu lui offrir un cadeau encore plus inattendu . . .

Vendeuse Avez-vous jeté un coup d'oeil à notre rayon maroquinerie? Y aurait-il parmi nos très beaux articles en cuir — sacs à main, porte-monnaies, porte-clefs, porte-cartes . . . *quelque chose qui risquerait de lui plaire?*

Sanderson Ah, ça, c'est une bonne idée! Je n'y avais pas pensé.

Vendeuse Par exemple, cette pochette en veau verni noir. Regardez comme sa fermeture est élégante! *Est-ce qu'elle plairait à votre épouse?*

Sanderson Sans doute. *Elle fait combien celle-là?*

Vendeuse 599F.

Sanderson Attendez, *laissez-moi réfléchir un instant! Il faudrait que je dépense combien* pour pouvoir bénéficier de la détaxe**?

Vendeuse Si vos achats dépassent 2400F *vous avez droit à 23%* sur les articles de luxe. Sur les autres articles vous n'avez droit qu'à 13%.

Sanderson Ah, je m'étais pourtant promis de ne pas faire trop de frais au cours de ce voyage. Non, cela ferait un cadeau vraiment trop cher. Ce porte-monnaie, combien coûte-t-il?

Vendeuse *Celui-ci fait 189F;* il est tout doublé de peau rouge.

Sanderson C'est parfait, je le prends. Je peux payer avec ma carte Visa?

Vendeuse Bien sûr monsieur . . . Bon, *je vais vous faire un joli paquet.*

Sanderson Maintenant il faudrait que j'achète un autre cadeau. Cette fois-ci c'est pour offrir à des amis chez qui je suis invité à dîner ce soir. *Vous pourriez me conseiller?*

Vendeuse En France *il est de coutume d'offrir des fleurs* ou bien de la confiserie.

Sanderson *Dire que je suis passé devant chez un fleuriste ce matin!* Si j'avais su, j'en aurais acheté!

Vendeuse Il y en a un tout près d'ici au premier étage de la galerie sur votre droite. Vous pouvez y aller pendant que je termine votre paquet. Quand vous aurez choisi vos fleurs, vous reviendrez le chercher. Votre paquet sera prêt.

Sanderson D'accord. *A tout à l'heure* . . .

Note *foulards de soie de grande marque*: silk scarves with original designs and initialled by famous couturiers (Yves St Laurent, Christian Dior, Pierre Cardin, etc.)

**détaxe: goods bought by tourists and therefore to be exported, are, at the present time, not subject to the same tax/duty as those sold on the domestic market. Most large shops pass this back to the foreign customer in the form of a percentage reduction on goods over a certain price.

section b *Exercises*

A *Pluperfect*

Exemple: Il est venu vous voir, n'est-ce pas?
Réponse: Ah, si seulement il était venu me voir!

Now continue:

a Elle a trouvé un joli cadeau, n'est-ce pas?
b Ils ont choisi quelque chose de pas trop cher, n'est-ce pas?
c La vendeuse vous a conseillé, n'est-ce pas?
d Vous vous êtes renseigné sur les prix d'abord, n'est-ce pas?
e Vous avez pu payer par carte de crédit, n'est-ce pas?

B *Pluperfect with Conditional Perfect in 'if' sentences*

Exemple:

Si j'avais su qu'il y avait une réduction de dix pour cent sur les chemises, j'en aurais acheté une.

	−10%	chemises
a	−15%	manteaux
b	−20%	appareils de photo
c	−25%	disques
d	−30%	chaussures
e	−40%	montres

C Future Perfect

Exemple:
Ⓐ Est-ce que nous mangerons au restaurant avant d'aller au cinéma?
Ⓑ Oui, quand nous aurons mangé au restaurant nous irons au cinéma.

Now continue:

		Ⓐ		Ⓑ
	(nous)	manger au restaurant	→	aller au cinéma
a	(elle)	faire ses courses	→	quitter le centre-ville
b	(ils)	choisir des fleurs	→	rendre visite à leurs amis
c	(elles)	se renseigner sur les prix	→	se décider
d	(nous)	attendre une demi-heure	→	s'en aller
e	(vous/je)	parler de la hausse des prix	→	faire voir le catalogue au client

D Celui-ci/celle-là, etc.

Exemple: Ce foulard-ci est plus soyeux que *ce foulard-là*.
Réponse: Bon, si c'est ça je vais prendre *celui-ci*.

Now continue:

a Cette pochette-ci est moins jolie que cette pochette-là.
b Ces pièces-ci ne sont pas aussi solides que ces pièces-là.
c Ce cadeau-ci est plus utile que ce cadeau-là.
d Ces gants-ci sont moins à la mode que ces gants-là.
e Cette voiture-là est sortie l'année dernière, cette voiture-ci est le dernier modèle.

E Conditional Perfect in reporting style

Exemple: Les sondages ont parlé d'un changement d'opinion.
Réponse: Oui, d'après les sondages, les opinions *auraient changé*.

Now continue:

a Les journaux ont parlé d'une augmentation du nombre de leurs lecteurs.
b Les pouvoirs publics ont parlé d'une baisse des impôts.
c Les experts ont parlé d'une détérioration de la situation.
d Les ingénieurs ont parlé d'une amélioration du système d'emballage.

F

Listen to the recording and identify the other eight bargains in the Printemps sale.

	Floor	Goods	Reduction
	ground	**Lancôme and Chanel cosmetics**	20%
a			
b			
c			
d			
e			
f			
g			
h			

Rôle-play

Part 1   *You are looking for a present for your wife/sister, but you also want some advice on what to take to your friends at whose home you will be dining this evening . . .*

Vendeuse   Vous désirez Monsieur/Madame?

    ■   (You're looking for a present for your wife/sister and you would like some advice.)

Vendeuse   Que pensez-vous d'un foulard? Regardez ceux-ci! Ils ont eu beaucoup de succès auprès de nos clientes.

    ■   (She has lots of scarves. You wanted something a bit more unusual.)

Vendeuse   Et de la maroquinerie? Un joli sac à main, par exemple?

    ■   (A good idea! You hadn't thought of that. How much is that one?)

Vendeuse   Celui-là est assez cher. C'est du cuir. Il fait 800F.

■ (How much must you spend to get the export discount?)

Vendeuse   Si vos achats dépassent 2400F vous avez droit à 23% de détaxe sur les articles de luxe, autrement c'est 13%.

■ (You didn't want to spend so much. The handbag would be too expensive.)

Vendeuse   Ce porte-monnaie fait moins cher: 179F. Il est très joli, vous ne trouvez pas?

■ (Thank her; she's been very helpful; you'll think it over.)

Vendeuse   Je vous en prie.

Part 2   *Au rayon voisin 'Bijoux fantaisie'.*

Vendeuse   Vous désirez? Vous cherchez un cadeau peut-être?

■ (Yes, for your wife/sister. Something unusual . . . not too 'classical'.)

Vendeuse   Alors ce collier peut-être avec les boucles d'oreille assorties? Ce serait, à mon avis, un cadeau idéal. Regardez, ces bijoux sont à la fois d'une conception originale et cependant de tons neutres. Qu'en pensez-vous?

■ (Yes, they are very pretty. They would make a good present.)

Vendeuse   Tout à fait. Et l'avantage c'est qu'ils iraient avec n'importe quelle couleur et n'importe quel vêtement, sport ou habillé. Ce genre de bijoux ne fait jamais clinquant; ils ont toujours énormément de cachet.

■ (The two together would be how much?)

Vendeuse   Alors, 189F pour le collier, et 145F pour les boucles.

■ (Recap to make sure you have understood.)

Vendeuse   C'est ça, 334F en tout.

■ (Repeat the amount and say that's fine, you'll take them.)

Vendeuse   D'accord, je vais vous faire un joli paquet, puisque c'est pour offrir.

■ (You are invited out to dinner at the home of some friends. Could she advise you on what gift you should take?)

Vendeuse   Quand on est invité chez des amis en France il est de coutume d'offrir des bonbons ou des chocolats, ou bien encore des fleurs coupées ou en pot.

■ (Cut flowers might be a good idea. What a pity! You went by a florists this morning. You could have bought some!)

Vendeuse   Ne vous inquiétez pas, il y en a un à deux pas d'ici de l'autre côté de la galerie sur la droite. Il y a un escalier, et c'est au premier étage à gauche.

■ (Recap on the directions.)

Vendeuse   C'est ça. Vous avez le temps d'y aller pendant que je finis votre paquet.

■ (Thank her. She's been most helpful. You'll be back to collect it when you've bought your flowers.)

Vendeuse   Entendu, à tout à l'heure!

Grammar

1 The Pluperfect Tense

a Formation:
Imperfect of Auxiliary Verb (*avoir/être*) + Past Participle.
*il **avait parlé***
*elle n'**était** pas **venue***

b Uses:
   i To express 'had done':
*Je n'y **avais** pas **pensé!*** – I **hadn't thought** of that!
   ii In 'if' clauses when the verb in the main clause is in the Conditional Perfect. (See below under use (ii) of the Conditional Perfect.)
   iii Special use:
*Je vous l'**avais** bien **dit!*** – I **told you so!** (i.e., implying wisdom after the event)

2 The Conditional Perfect

a Formation:
Conditional Tense of Auxiliary Verb (*avoir/être*) + Past Participle.
*il **aurait parlé***
*elle ne **serait** pas **venue***

b Uses:
   i To express 'should/would have done':
***J'aurais préféré** quelque chose de plus joli* – I **would have preferred** something prettier.
   ii In main clauses when the verb in the 'if' clause is in the Pluperfect:
*Si j'**avais vu** un rayon maroquinerie, je lui **aurais acheté** un beau sac à main* – If I **had seen** a leather goods department I **would have bought** her a beautiful handbag.
   iii To express something conjectured or alleged:
*Il avait l'air de quelqu'un qui **aurait** beaucoup **travaillé** dans sa vie* – He looked like someone who **had worked** a great deal in his life.

Note: Occasionally, for greater emphasis, the Imperfect is used instead of the Conditional Perfect:
*Une minute de plus et ils se **manquaient*** – Another minute and they **would have missed** each other.

3 The Future Perfect

a Formation:
Future of Auxiliary Verb (*avoir/être*) + Past Participle
ils **auront fini**
tu **seras parti(e)**

b Uses:
i To express 'shall/will have done':
D'ici la fin du mois, vous **aurez reçu** *la commande* – Between now and the end of the month you **will have received** the order.
ii When implied:
Je paierai quand **j'aurai reçu** *la marchandise* – I shall pay when I **have received** the goods.

4 Celui-ci, etc.

a Formation:

	Singular	Plural
Masc.	*celui-ci*	*ceux-ci*
	celui-là	*ceux-là*
Fem.	*celle-ci*	*celles-ci*
	celle-là	*celles-là*

b Use:
i To express 'this (one)', 'that (one)', 'these', 'those':
Des deux cadeaux, je préfère **celui-ci** – Of the two presents I prefer **this one.**
Ces fleurs sont très belles, mais **celles-ci** *sont plus fraîches que* **celles-là** – These flowers are very beautiful, but **these** are fresher than **those.**
ii To express 'the former' (-là), and 'the latter' (-ci):
M. Sanderson a pris rendez-vous avec M. Dupont, mais **celui-ci** *a* **été retardé** – M. Sanderson made an appointment with M. Dupont but **the latter** was delayed.

Grandes surfaces

Les Français ont acheté, en 1988, 51,4 % de leur alimentation dans les grandes surfaces (hyper et supermarchés). Ce phénomène est tout nouveau, puisque l'an dernier encore le petit commerce assurait 51 % des ventes des produits alimentaires. Si l'on entre dans le détail, près de 60 % des fruits, légumes, boissons, crémerie et épicerie sont achetés en grande surface, alors que 40 % des viandes, 30 % des poissons, 11 % du pain et de la pâtisserie sont achetés dans les magasins spécialisés (source : Insee).

Le Point, 10 avril 1989

Reading & Reaching

A La Carte Kangourou

UNE ENVIE FOLLE DE VOUS FAIRE PLAISIR ?

Vous entrez dans votre magasin La Redoute, comme ça juste pour voir et voilà, c'est le coup de foudre ! Seulement vous n'aviez pas prévu. La Carte Kangourou, elle, a tout prévu ! Pas besoin d'argent liquide ni de chéquier. A la caisse, vous présentez votre Carte, vous signez et vous emportez vos achats sans avoir déboursé un centime... Vous paierez plus tard. Et puis, plus question de laisser passer les promotions ni les super-affaires ! Grâce à la Carte, vous êtes sûre d'en profiter pleinement et de boucler plus facilement votre budget.

UN MOIS POUR PAYER... ET COMME VOUS LE SOUHAITEZ !

Oui, comme toutes les cartes de paiement, la Carte Kangourou retarde votre paiement au mois suivant vos achats à La Redoute. C'est pratique et parfois bien utile car cela vous laisse du temps devant vous !
Mais en plus, vous êtes entièrement libre de régler vos achats comme vous l'entendez. Chaque mois, vous recevez un relevé détaillé de votre compte Kangourou ; vous choisissez alors de payer en une fois, sans frais supplémentaires ou, si cela vous arrange, en cas d'achats importants ou imprévus par exemple, en 2, 3 ou plusieurs fois *. Vous vous organisez comme vous le désirez et vous savez toujours où vous en êtes !
* Avec intérêts et perceptions forfaitaires autorisées.

DE NOMBREUX PRIVILEGES VOUS ATTENDENT !

Profiter des promotions en magasin, recevoir régulièrement des offres spéciales, des réductions, des produits du catalogue de La Redoute à des prix-cadeaux... Cela vous tente ? Des avantages dont vous ne tarderez pas à bénéficier en devenant cliente Kangourou. Oui, être cliente Kangourou, c'est différent...

PRATIQUE DANS BIEN DES CAS !

Dans votre magasin La Redoute et les Aubaines, la Carte Kangourou est une alliée précieuse car elle vous fait gagner du temps. Mais n'oubliez pas que vous pouvez également l'utiliser pour commander dans tous les catalogues de La Redoute que ce soit par téléphone, Minitel, dans votre Rendez-vous Catalogue ou encore par courrier.

ELLE EST GRATUITE ET PERMANENTE !

Gratuite, la Carte Kangourou l'est entièrement. Vous n'avez absolument rien à payer pour l'obtenir : pas de cotisation ni même de frais de dossier. Et vous pouvez la conserver aussi longtemps que vous le désirez même si vous restez des mois sans l'utiliser : il n'y a aucune obligation d'achat.

1 True or false?

a There is no charge for obtaining your CARTE KANGOUROU.
b You must present a banker's card as well as your CARTE KANGOUROU when purchasing goods.
c You will be expected to make at least one purchase per month using your card.
d You can use your CARTE KANGOUROU when telephoning an order. '
e The CARTE KANGOUROU is valid in both La Redoute and Les Aubaines.
f Goods purchased in January must be paid for in full by the end of March.

2

a Find the French word or expression in the text for: cash; give away prices; itemised statement; at no extra charge; unexpected purchases.
b Find two expressions in the text meaning 'special offers'.

B Le Centre Commercial de Parly 2

Deux minutes pour aller du Printemps au BHV dans le plus élégant centre commercial d'Europe

A Parly 2, il ne faut que deux minutes pour aller du Printemps au BHV. Et ces deux minutes-là seront bien remplies car pour la première fois, les plus grands et les plus prestigieux magasins de la capitale se trouvent réunis en un seul et même endroit. Un authentique condensé du meilleur commerce parisien sur 55 000 m2. La surface de vente des 107 magasins y est égale à celle de toutes les boutiques du quartier des Champs-Elysées, de l'Etoile à Saint-Philippe-du-Roule et de l'Alma au Rond-Point.

Une manière d'acheter unique au monde

Dès l'entrée, des consignes automatiques reçoivent manteaux, paquets et parapluies. On peut aussi confier sont enfant à la "halte-enfant" pendant une ou plusieurs heures. Les magasins du Centre Commercial qui empruntent leur luxe aux plus nobles matériaux - granit noir, acier, bois précieux et verre de couleurs - s'étagent sur deux niveaux desservis par des escalators. Ils s'ouvrent directement, sans l'obstacle de vitrines, sur le mail, couvert et climatisé, que les cascades, les bassins et les jardins exotiques métamorphosent en un agréable jardin d'hiver. C'est la promenade élégante de Parly 2, l'endroit où l'on donne rendez-vous à ses amis, où l'on aime venir faire quelques pas pour le seul plaisir d'admirer le spectacle toujours renouvelé des boutiques illuminées jour et nuit et pendant toute la semaine.

Voir pages suivantes

Jusqu'au diamant de 25 carats...

Depuis la boîte de sardines jusqu'au diamant de 25 carats on y trouve absolument tout, sous la signature des plus célèbres commerçants de Paris. Et l'on peut aussi tout emporter sans rien payer grâce à la carte de "Crédit-Parly 2". Enfin, aux deux extrémités du mail, le Printemps et le BHV ont installé, non pas de modestes succursales, mais une quintessence de leurs rayons parisiens. Dans tout le Centre Commercial, les arts et les loisirs se mêlent intimement à la vie quotidienne et le supermarché, le Prisunic et le Centre Social n'excluent pas les cinq salles de cinéma et les galeries d'art. C'est ici que la vie du soir brille de tout son éclat : présentations de haute-couture, soirées dansantes, "nocturnes" durant lesquelles les magasins restent ouverts jusqu'à une heure avancée de la nuit. Le Drug-West, ouvert déjà depuis 1966, est le plus grand drugstore d'Europe (1 500 m2). Il a été agrandi et redécoré et l'on y trouve un choix kaléidoscopique de cadeaux et de gadgets dans un cadre nouveau et coloré. Une cafeteria et un coffee-shop s'ajoutent à son restaurant. Et dans le mail, trois bars recréent l'atmosphère d'une rue animée.

On se gare une fois pour 107 magasins

Quand on arrive à Parly 2, on gare sa voiture sans problème sur l'un des 3.025 parkings gratuits qui entourent le Centre Commercial. Aucune place de stationnement n'est à plus de 100 m d'une entrée (il y en a 6), et l'on accède ainsi à 107 magasins. On peut aussi confier sa voiture au centre-auto BP de Parly 2. L'une des seules stations en Europe qui offre autant de services à la fois : ateliers de montage ultra-rapide ou de mise au point électronique, chaîne de lavage automatique, atelier et auto-shop radio, auto-école, agence de location de voitures... et même coiffeur.

From the information provided in the article on Parly 2, and using the headings suggested below, what arguments could you use to persuade a family with young children and travelling by car to chose Parly 2 for a shopping trip rather than Paris itself?

- surface shopping area (number and type of shops/range of goods)
- setting (quality of buildings and decorations/lay-out)
- parking facilities
- other services to shoppers

9 Dîner chez des amis

Mr Sanderson arrives at the flat of his friend M. Dubois, by whom he has been invited to dinner.

Listen to the recording and then answer the questions in Section A.

Vocabulaire		
	immeuble (m)	*appartment block*
	embouteillage (m)	*traffic jam*
	pardessus (m)	*(man's) overcoat*
	déménager	*to move house*
	auparavant	*previously*
	banlieue (f)	*suburbs*
	trajet (m)	*journey*
	étagères (f.pl)	*shelving, shelves*
	bricoler	*to do odd jobs (about the house)*
	bricoleur (m)	*handyman (DIY specialist)*
	se détendre	*to relax*
	goût (m)	*taste*
	se gêner	*to stand on ceremony*
	aîné (e)	*eldest (child)*
	licence (f)	*university degree*
	cadet (te)	*youngest (child)*
	pension (f)	*boarding school*
	rôti (m)	*roast (meat)*
	régal (m)	*treat*
	déçu (p.p. décevoir)	*disappointed*

Notes **1** See *Petit Guide des Sigles*, p.175

2 *entrer/être en sixième*: to enter/to be in the first form of secondary school. The numbering of the French form system works the opposite way round to ours, hence:

la sixième	first form	⎫ 4-year (first) cycle in the CES
la cinquième	second form	(collège d'enseignement
la quatrième	third form	secondaire)
la troisième	fourth form	⎭
la seconde	fifth form	⎫ 3-year (second) cycle
la première	lower sixth	in the 'lycée'
la terminale	upper sixth	⎭

section a *Qu'avez-vous compris?*

1 *Answer in French*

a Pourquoi M. Sanderson n'a-t-il pas eu trop de mal à trouver l'appartement de ses amis?
b Est-ce qu'il y avait beaucoup de circulation en ville?
c Comment M. Sanderson avait-il fait pour être à l'heure malgré les embouteillages?
d Pourquoi les Dubois ont-ils été obligés de changer d'appartement?
e Est-ce qu'ils regrettent leur ancien appartement?
f Combien d'enfants les Dubois ont-ils?
g Que font les enfants?
h Pourquoi M. Sanderson a-t-il été impressionné par Parly 2?
i Pourquoi a-t-il refusé une deuxième tasse de café?
j Est-ce qu'il est rentré tout seul?

2 *Translate*

a You didn't have too much trouble?
b Let me introduce my wife.
c How very kind!
d It's the least I could do.
e You've got a nice home.
f On the whole we like it here.
g Despite the commuting.
h If you'd like to sit here.
i Don't stand on ceremony!
j Make yourself at home!
k Are your children of school age?
l He would like to take a degree in English.
m It's a real treat.
n I must get back.
o Thank you for a pleasant evening.

Dialogue

M. Dubois	Bonsoir John. Entrez. *Vous n'avez pas eu trop de mal* à trouver notre immeuble j'espère?
Sanderson	Non, aucun mal, car j'ai été très aidé par votre plan du quartier.
M. Dubois	Vous n'avez pas été trop retardé par les embouteillages?
Sanderson	Oh si, mais j'ai pris la précaution de quitter mon hôtel de bonne heure. Sans cela j'aurais été en effet très retardé.
M. Dubois	Vous avez bien fait! *Laissez-moi vous présenter mon épouse* . . .
Sanderson	Enchanté madame.
Mme Dubois	Enchantée monsieur. (Sanderson gives her flowers.) C'est pour moi? *Comme c'est gentil!*
Sanderson	Je vous en prie, *c'est la moindre des choses.*
Mme Dubois	Merci, j'adore les fleurs! Passons au salon, si vous voulez bien. Donnez-moi votre pardessus! Chéri, tu peux servir l'apéritif?
M. Dubois	D'accord. Asseyez-vous John. Qu'est-ce que je vous offre? Du whisky ou bien du Martini ou du Ricard?
Sanderson	Un whisky s'il vous plaît. (Looking around) . . . *Vous êtes bien installés.* Vous avez un joli appartement!
Mme Dubois	*Dans l'ensemble nous nous plaisons bien ici.* A la naissance de notre deuxième enfant nous avons été obligés de changer d'appartement pour en prendre un plus grand. Nous avons donc déménagé pour venir habiter ici. Auparavant nous habitions plus au centre, plus près de notre lieu de travail, mais nous préférons la banlieue *en dépit des trajets.*
Sanderson	J'admire vos étagères.
M. Dubois	J'aime assez bricoler pour me détendre.
Sanderson	C'est vous qui les avez faites? Félicitations!
Mme Dubois	Oui, mon mari est un excellent bricoleur.
M. Dubois	(Returning with drinks.) Mais c'est ma femme qui choisit les couleurs. Elle a plus de goût que moi!
Mme Dubois	Merci chéri. Passons à table! Mr Sanderson, *si vous voulez bien vous mettre ici,* et surtout *ne vous gênez pas! Faites comme chez vous!* Servez-vous bien, si ça vous dit . . .

6 PIECES 125 m2

C'est un appartement de très grand standing. Le séjour peut être réuni à l'une des quatre chambres pour former une immense réception encore agrandie par la terrasse. L'une des chambres, celle des parents sans doute, desservie par une salle de bains et un placard, peut être isolée du reste de l'appartement. Toutes les chambres donnent de plain-pied sur le long balcon qui prolonge la terrasse. Avec deux salles de bains, un dressing-room et deux vastes placards, le ''6 pièces'' dispose vraiment du plus grand confort.

Sanderson	Merci, ça a l'air délicieux. *Vos enfants sont-ils en âge d'aller à l'école?*
M. Dubois	Oh oui! L'aîné va aller en faculté l'an prochain après son 'bac'[1] – il a toujours été intéressé par les langues vivantes et *aimerait faire une licence d'anglais.* Le cadet entrera en sixième[2] en septembre prochain.
Mme Dubois	Et vous, vous avez des enfants, Monsieur Sanderson?
Sanderson	Oui, un fils qui à treize ans et qui est en pension, et une fille qui va avoir six ans et qui vient de commencer l'école primaire. Donc ma femme a pu reprendre son travail à l'extérieur – mais seulement à temps partiel bien sûr.
Mme Dubois	Ah, très bien . . . Reprenez du rôti, Monsieur Sanderson!
Sanderson	Volontiers, *c'est un régal.*
M. Dubois	A propos, comment avez-vous trouvé Parly 2? Vous n'avez pas été trop déçu? On vous en avait tellement parlé!
Sanderson	Non, j'ai été très agréablement surpris par cette galerie marchande, et j'ai trouvé exactement le cadeau que je cherchais pour ma femme.
Mme Dubois	Tant mieux! Une deuxième tasse de café?
Sanderson	Non, merci. Il est tard et j'ai déjà trop abusé de votre hospitalité.
M. Dubois	Pas du tout!
Sanderson	Mais *il faut que je rentre.* Merci pour cet excellent repas et *cette agréable soirée.*
M. Dubois	Je vous raccompagne.

section b *Exercises*

A Active to Passive

Exemple: Les prix vous *surprennent* je suppose?
Réponse: Bien sûr que je *suis surpris* par les prix!
Exemple: Les embouteillages les *ont retardés* je suppose?
Réponse: Bien sûr qu'ils *ont été retardés* par les embouteillages!

Now continue:

a Le rayon cadeaux vous a déçu(e), je suppose?
b Parly 2 vous a impressionné(e) je suppose?
c Le plan avait aidé vos amis, je suppose?
d Mr Sanderson invitera les Dubois, je suppose?
e Les langues intéresseraient votre fille je suppose?

B Conditional Passive

Exemple: Pourquoi M. Sanderson a-t-il accepté l'invitation des Dubois? (offensé)
Réponse: Parce que sinon ils *auraient été offensés.*

Now continue:

a Pourquoi avez-vous suivi des cours de sténo-dactylo? (embauché)
b Pourquoi a-t-il lancé un emprunt? (ruiné)

Now complete your own examples:

c Pourquoi a-t-il voulu trouver un cadeau pour sa femme?
d Pourquoi ont-ils baissé les prix de leurs produits?
e Pourquoi a-t-elle décidé d'acheter des chaussures avant que les prix augmentent?

C *Avoidance of Passive* (on)

Exemple: 'La Tour d'Argent, *est considéré* comme un des restaurants les plus célèbres de Paris, n'est-ce pas?
Réponse: Oui, *on le considère* comme un des restaurants les plus célèbres de Paris.
Exemple: La lettre a *été postée* ce matin, n'est-ce pas?
Réponse: Oui, on *l'a postée* ce matin.

Now continue:

a L'apéritif a été servi tout de suite, n'est-ce pas?
b Il était bien estimé dans le monde des affaires, n'est-ce pas?
c Le contrat sera signé demain, n'est-ce pas?
d Ce représentant avait été envoyé en Allemagne Fédérale, n'est-ce pas?
e La commande aura été reçue avant la fin de la semaine, n'est-ce pas?

D *Avoidance of Passive* (on → reflexive)

Exemple: Comment *boit-on* le vin rouge? (à la température ambiante)
Réponse: Le vin rouge *se boit* à la température ambiante.

Now continue:

a Comment boit-on le vin blanc? (très frais)
b Où trouve-t-on les sacs à main? (au rayon maroquinerie)

Now complete giving your own answers:

c Comment appelle-t-on les amis de Mr Sanderson?
d Quand mange-t-on les croissants?
d Comment écrit-on votre nom?

E *Monsieur Gérard had a successful business trip to England last week and is telling a colleague about it.*

a *How many passive sentences can you give in English (i.e., involving the verb 'to be' plus a past participle, to describe his visit and his impressions, beginning with:*

● I was picked up at the airport.

(If you are very clever, you should be able to find eleven *more!)*

b *Ironically, in French, he only used three pure passives. Can you pick them out?*

 # *Rôle-play*

You are Eric Farrar and you are in Paris on behalf of your firm. Having visited your client in the morning and done some last minute shopping in Parly 2 in the afternoon, you are invited, in the evening, to dinner by your business colleague, Monsieur Mauclerc.

M. Mauclerc	■ Bonsoir, Eric. Enchanté de vous voir. Vous avez trouvé notre immeuble sans difficulté j'espère?
	■ (No problem, his map was a great help.)
M. Mauclerc	■ Je suppose qu'il y avait beaucoup de circulation à cette heure-ci?
	■ (Yes, but you were careful to leave your hotel early to avoid[1] the traffic.)
M. Mauclerc	■ Vous avez bien fait. Permettez-moi de vous présenter ma femme. Chérie – Eric Farrar, mon collègue britannique qui parle très bien le français!
Mme Mauclerc	■ Heureusement, car je ne comprends pas bien l'anglais! Enchantée monsieur!
	■ (You are pleased to meet her. Offer the flowers you bought in Parly 2.)
Mme Mauclerc	■ C'est pour moi? Que c'est gentil! Vous n'auriez pas dû!
	■ (Don't mention it. It's the least you could do.)
Mme Mauclerc	■ Chéri, veux-tu servir l'apéritif, et après nous pourrons passer à table. Un Martini pour moi!
M. Mauclerc	■ D'accord. Qu'est-ce que je vous offre Eric?
	■ (State your preference, and say you like their flat.)
M. Mauclerc	■ Oui, l'appartement nous plaît assez. Nous avons eu de la chance de le trouver. Vous n'habitez pas en appartement je suppose. Les Anglais dans l'ensemble ont des maisons, n'est-ce pas?
	■ (Yes, that's very true. You have a detached house[2] in the suburbs which you like a lot. It's an old house but you like working on it when you have the time.)

Mme Mauclerc
- On peut manger. Mettez-vous là Monsieur Farrar, et ne vous gênez pas. Faites comme chez vous! J'espère que ça vous plaira . . .
- (Thank her. It looks delicious. Ask if they have any children.)

M. Mauclerc
- Oui, nous en avons deux. Une fille de 17 ans et un fils de 11 ans. Ils sont en vacances chez leurs grands-parents en ce moment. Et vous, vous avez des enfants?
- (Yes. Two girls. The eldest is just[3] five and the youngest is three)

Mme Mauclerc
- Alors votre épouse ne travaille pas à l'extérieur?
- (No. When the children are old enough to go to school she will perhaps go back to part-time work)

M. Mauclerc
- Et qu'est-ce que vous avez pensé de Parly 2? Avez-vous pu trouver ce que vous cherchiez?
- (You were very impressed. You found the present you were looking for. The sales assistant was very helpful.)

Mme Mauclerc
- Tant mieux. Vous garderez donc un bon souvenir de votre journée à Parly.
- (Yes, and of your evening with them of course!)

Mme Mauclerc
Mais nous aussi, nous avons été très heureux de votre visite. Encore du café?
- (No, it's late and you must get back. Thank them for an excellent meal and a very pleasant evening. You hope they will come and visit[4] you in England.)

M. Mauclerc
Ce sera avec plaisir . . . En effet, il est tard et vous devez être fatigué. Je finis mon café, puis je vous raccompagne.

1 éviter
2 maison individuelle
3 venir de (avoir)
4 rendre visite

H Guided conversation

With the help of the following outline, record or write a summary of the dialogue.

Mr Sanderson est arrivé chez ses amis (à l'heure – aucun mal – plan du quartier – précautions – embouteillages).

M. Dubois lui a présenté sa femme (fleurs – pardessus).

On lui a offert l'apéritif (son choix).

Ils ont parlé de l'appartement (compliments de Mr Sanderson – satisfaits – plus grand – en banlieue).

Ils sont passés à table (enfants – visite de Mr Sanderson à Parly 2).

Il est parti (remerciements – proposition de M. Dubois).

Logement: des hauts et des bas

Prix au mètre carré des constructions neuves, converti en francs, dans douze villes européennes, 1989

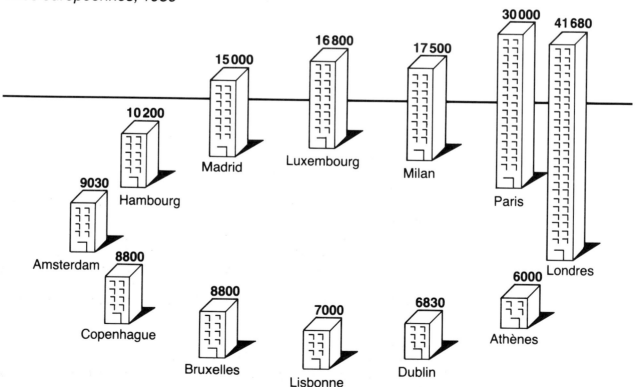

Source: FNAIM

Grammar

1 *The Passive*

a Formation:
As in English, i.e., appropriate tense of *être* + Past Participle

elle **est invitée**	she **is invited**
elle **a été invitée**	she **has been invited/was invited**
elle **sera invitée**	she **will be invited**

b Use:
Generally it is advisable to use the active voice whenever possible (see below under 'Avoidance of Passive'). However the passive is used:

(i) In cases where the past participle is a common adjective, especially when expressing emotion:

Ils **ont été choqués** *de voir leur réaction.*

Elle **a été étonnée** *par la hausse des prix.*

Il **sera ravi** *de faire votre connaissance.*

(ii) When the agent is expressed after *par*:

La lettre **a été écrite** *par votre secrétaire.*

Il **est invité** *par ses amis.*

Les automobilistes **avaient été** *très* **gênés** *par les embouteillages.*

2 *Avoidance of Passive*

a *on:*

(i) In certain common expressions:

on dit *que* . . . – it is said that . . .

on croit *que*

on pense *que* . . . – it is thought that . . .

(ii) When the agent is not mentioned specifically:

Ou ouvre *le magasin à 9.00 heures* – The shop is opened at 9.00 o'clock.

(iii) To translate passive expressions involving an indirect object:

On leur a montré *l'appartement* – **They were shown** the flat.

On nous a servi *un excellent repas* – **We were served** an excellent meal.

On lui a demandé *s'il connaissait le chemin* – **He was asked** if he knew the way.

b Reflexive:
Il **s'appelle** *John Sanderson* – He **is called** John Sanderson.

Le vin rouge **se boit** *à la température ambiante* – Red wine **is drunk** at room temperature.

Cela ne **se fait** *pas!* – That **isn't done!**

Reading & Reacting

A Cuisine en fête

CUISINE EN FÊTE

Qu'achètent les ménages modernes pour équiper leur foyer? Tout le monde ou presque possède un réfrigérateur, la télévision ou un lave-linge. C'est maintenant le rush sur le sèche-linge, le micro-ondes et le magnétoscope. Cinq pour cent des ménages français, dit l'*Insee**, font sécher leur linge dans une machine et 20% possèdent un magnétoscope (1% en 1979). Le four à micro-ondes est présent dans près de 10% des cuisines (deux fois plus qu'il y a un an). Dans ces mêmes cuisines, soulignent les organisateurs du salon des Arts ménagers, qui ouvre le 13 janvier à Paris, «les ménagères installent de plus en plus de tables de cuisson, surtout vitro-cerámiques.» Et l'*Insee* note que la cafetière électrique (70% des foyers en ont une), le grille-pain (51%), la friteuse électrique (23%) et le grille-viande (18%) sont les produits de cuisine qui ont le mieux marché depuis 1979. L'électroménager en fête? L'étude dit que près de la moitié des appareils de cuisine que possèdent les Français leur ont été offerts à une quelconque occasion. Les chauffe-plats et les couteaux électriques sont les cadeaux «ménagers» les plus courants. Beaucoup plus que les articles de bricolage. La cuisinière est plus gâtée que son mari.

*See *Petit Guide des Sigles*

L'Entreprise, janvier 1989

1

Placing them in descending order of percentage penetration, draw up a list, in English, of the household electrical appliances found in French homes.

2

Mark with an * those kitchen appliances which, according to the article, have sold particularly well since 1979.

Electrical appliance	Approx. % of homes equipped

3 *Give the French for:*

a French households
b housewives
c household electrical (goods)
d kitchen appliances
e Ideal Home Exhibition
f ceramic hobs
g cook (f)
h home

4 *Answer in English*

a How are approximately 50% of the appliances acquired?
b What two appliances are the most popular gifts?

LES BEST-SELLERS DE L'ÉLECTROMÉNAGER

Année faste pour les fabricants d'appareils électroménagers : la consommation a augmenté de 10 % en 1988. Même des produits où le taux d'équipement est très fort ont connu une belle croissance, ce qui prouve que les consommateurs renouvellent leur matériel : les aspirateurs ont enregistré 17 % d'augmentation, les cafetières et les grille-pain 25 %.

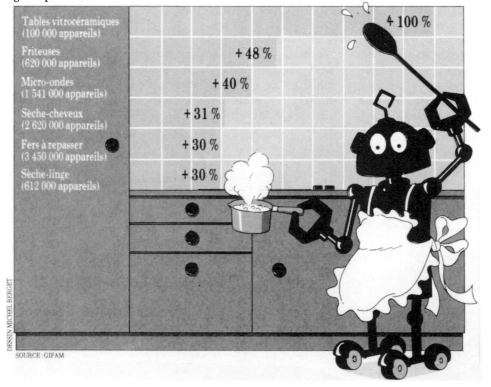

Tables vitrocéramiques (100 000 appareils)	+ 100 %
Friteuses (620 000 appareils)	+ 48 %
Micro-ondes (1 541 000 appareils)	+ 40 %
Sèche-cheveux (2 620 000 appareils)	+ 31 %
Fers à repasser (3 450 000 appareils)	+ 30 %
Sèche-linge (612 000 appareils)	+ 30 %

DESSIN MICHEL BERGÈT

SOURCE : GIFAM

L'Entreprise, février 1989

B *La reprise du bâtiment se confirme*

La reprise du bâtiment se confirme

Les mises en chantier de logements neufs en France sur les douze derniers mois s'élevaient à 322 900 en avril. Ce réveil est beaucoup plus sensible dans le logement

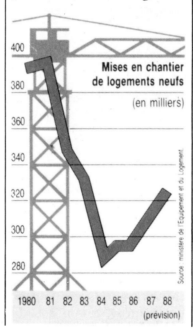

Mises en chantier de logements neufs

(en milliers)

Source : ministère de l'Équipement et du Logement

1980 81 82 83 84 85 86 87 88

(prévision)

collectif que dans la maison individuelle, plutôt morose, et dans le secteur libre ou conventionné que dans le logement social. Ses causes sont triples : la baisse des taux d'intérêt, les incitations fiscales du plan Méhaignerie (déductions pour l'achat de logements neufs), enfin la douceur de l'hiver, qui a permis l'avancement des calendriers. Cette reprise devrait se poursuivre d'ici à la fin de l'année. Pour 1988, on estime le nombre total des mises en chantier à 325 000. L'indicateur avancé du secteur — le nombre de demandes de permis de construire — a lui aussi progressé (+ 10,3 % sur le premier trimestre 1988). D'autre part, les experts estiment qu'il n'y a aucune chance de voir adopter une seconde « loi Quilliot » par le nouveau gouvernement. Mais il reste du chemin à parcourir pour retrouver les chiffres du début de la décennie...   *A.F.* ●

L'Expansion 20 mai/2 juin 1988

1 *Answer in English*

According to the article what are the three reasons for the increase in housing construction over the last twelve months?

2 *Give the French for:*

a public sector housing
b tax incentives
c applications for building permission
d interest rates

Lettre d'affaires

Régions, départements
et codes postaux
de France

Back in England Mr Sanderson writes to Mme Legrand concerning her order and to invite her to visit the factory.

Listen to the recording and then answer the questions in Section A.

Vocabulaire

lors de	*at the time of*
être en mesure de faire q.c.	*to be in a position to do sthg.*
délai (m)	*time (schedule)*
affiche (f)	*poster*
rabais (m)	*rebate*
escompte (m)	*discount*
paiement comptant	*cash payment*
accueillir	*to welcome*
prochainement	*soon*
accuser réception	*to acknowledge receipt*
s'occuper de q.c.	*to see to sthg.*
régler (une facture)	*to settle (a bill)*
sur le champ	*on the spot*
résoudre	*to solve*

Note For complimentary closes to business letters see p. 127

section a   *Qu'avez-vous compris?*

1 Translate

a Would you like me to read it back?
b I trust you.
c It's in your mother tongue.
d Please acknowledge receipt.
e I'll see to it straight away.
f I'll see to the telex as well.
g We are doing our best.

2 Transcription

Transcribe Mr Sanderson's letter to Mme Legrand.

Dialogue

Sanderson Isabelle, je vais vous dicter une lettre en français.
Secrétaire Bien, Monsieur. Je suis prête.
Sanderson Alors, commençons . . .

Chère Madame Legrand,

Comme suite à notre conversation lors de mon passage à Paris, j'ai le plaisir de vous confirmer que nous sommes en mesure de vous livrer dans les délais les plus brefs, c'est à dire quinze jours comme convenu.

Je tiens aussi à souligner que nous faisons en ce moment une offre spéciale. Comme vous l'avez sans doute vu sur nos affiches publicitaires, il s'agit d'une offre vraiment intéressante. Si vous nous passez commande avant le 10 mai, vous pourrez bénéficier d'un rabais d'environ 13% sur la plupart de nos produits. Cette offre ne sera valable que jusqu'au 10, mais nous continuerons à accorder un escompte de 5% sur tout paiement comptant.

Permettez-moi de vous renouveler notre invitation. Nous serions en effet heureux de vous faire visiter nos usines, si vous aviez l'occasion de venir en Angleterre. Je crois que vous trouveriez cette expérience intéressante et utile, et nous serions enchantés de vous voir.

Dans l'espoir de pouvoir vous accueillir très prochainement dans notre entreprise, veuillez agréer, chère Madame Legrand, l'expression de mes sentiments les meilleurs.

John Sanderson

Voilà, c'est tout!

Secrétaire	*Voulez-vous que je relise?*
Sanderson	Non, ce n'est pas la peine. *Je vous fais confiance* puisque *c'est dans votre langue maternelle,* et je connais vos talents de sténographe! Tenez, voici une lettre d'une autre entreprise française. *Veuillez accuser réception s'il vous plaît!*
Secrétaire	Bien, monsieur. *Je vais m'en occuper tout de suite.*
Sanderson	N'oubliez pas non plus de demander au service financier de régler la facture de chez Moiret et Frères.
Secrétaire	Entendu, monsieur. Et *je vais aussi m'occuper du télex* de la maison Michelet. Le message avait l'air urgent. Je vais leur passer un coup de fil sur le champ pour les rassurer et les convaincre que *nous faisons de notre mieux* pour résoudre leur problème.

section b | *La lettre commerciale*

La mise en page

The usual lay-out for French business letters follows the French standard NF Z 11.00., as shown below.

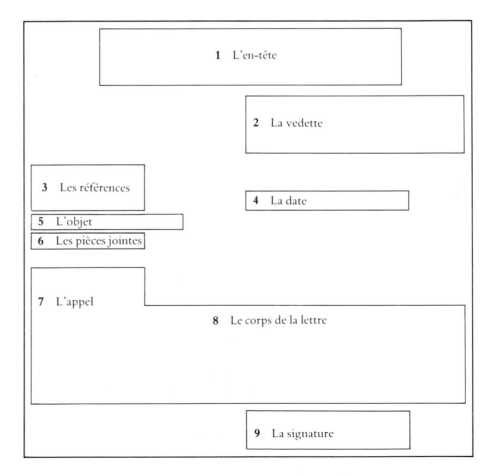

1 L'en-tête

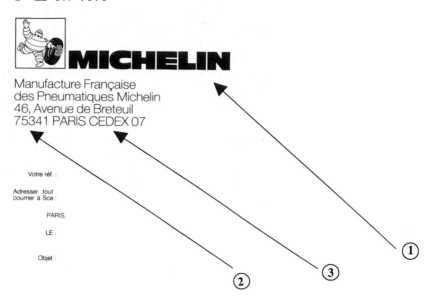

MICHELIN

Manufacture Française
des Pneumatiques Michelin
46, Avenue de Breteuil
75341 PARIS CEDEX 07

Votre réf. :

Adresser tout
courrier à Sce :

PARIS,

LE :

Objet :

① ② ③

④ ⑤ ⑥

Pièces jointes :

Téléphone : (1) 45 66 12 34
Télex : Michlin 270789 F
Télégramme : Pneumiclin Paris
Chèques Postaux : 30-53 Z Paris
R.C.S. Clermont-Ferrand B 855 200 507
MICHELIN et Cie - Société en commandite par actions au capital de 875 000 000 de F - Place des Carmes-Déchaux 63 Clermont-Ferrand (France)

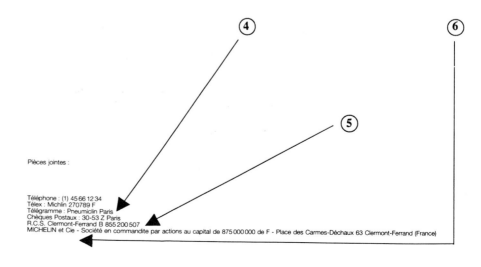

1 Name of company.

2 Five figure post code. The first two digits indicate the *département* (see map p.119), and the last three digits the distributing office. The number of *bureaux distributeurs* per *département* varies between 30 and 250.

3 CEDEX (*Courrier d'entreprise à distribution exceptionnelle.*) Large firms and organisations receiving considerable amounts of mail have individual CEDEX sorting codes.

4 (Compte) Chèques Postaux: postal cheque (Giro) number.

5 The company's registration number.

6 Type of company. *Société en commandite par actions*: partnership limited by shares. Note also S.A. (*Société Anonyme*): public limited company; S.A.R.L. (*Société à responsabilité limitée*): private limited liability company. By law companies must show their share capital (at least 500,000F for public limited companies, and 100,000F for other types.)

2 La vedette (addressee)

Either a person: Monsieur Jean ANNICK
                    39, rue du Docteur Temporal
                    01230 ST. RAMBERT EN BUGEY

or a firm: Etablissements LACOSTE
                    16, avenue Leclerc
                    B.P. 76–75
                    69832 LYON CEDEX

3 Les références

votre (vos) référence(s) → usually abbreviated to v/réf.
notre (nos) référence(s) → usually abbreviated to n/réf.

4 La date

Always in lower case, and always preceded by the town from which the letter originates. For example:

Paris, le 25 janvier 1989

Londres,
le 1er juin 1990

5 L'objet (purpose of letter)

Keep words to a minimum, avoiding articles and adjectives. For example:

v/lettre du 20 mai; demande de renseignements; rappel; n/commande réf. SF135

6 Pièces jointes (enclosures)

Normally abbreviated to P.J.

7 Appel/formule d'interpellation (salutation)

- To a business organisation — Messieurs,
- To an individual whose name you do not know — Monsieur, Madame, Mademoiselle,
- To an individual whose name and sex you do not know Madame/Monsieur,
- To a person with whom you are acquainted — Cher Monsieur, Chère Madame, etc.
- If you are on good terms — Cher Monsieur Olivier, Chère Madame Legrand, etc.

Note also: Madame la Présidente (even if she is not married)
Maître (to a lawyer or solicitor)

8 Le corps de la lettre (main body of letter)

a Opening
b Middle
c Close

Useful phrases
a Opening

• En réponse à • Je vous remercie de • Nous vous accusons réception de • Nous référant à	votre	• lettre • courrier • offre	du 9 mai.

• Comme suite à notre	• entrevue. • conversation téléphonique.

b Middle
(i) Requests:

• Nous vous serions reconnaissants de bien vouloir • Auriez-vous l'obligeance de • Pourriez-vous	nous	• envoyer • faire parvenir • fournir

• de la documentation.
• des renseignements.
• des échantillons.
• une liste de vos prix.
• des précisions sur . . . .

• Veuillez également nous	• faire savoir • indiquer • préciser	quel (le)s sont vos

• modalités et conditions.
• délais de livraison.

(ii) Offers:

• Nous vous prions de • Veuillez	trouver ci-joint	• nos prix actuels. • notre dernier catalogue.

- Nous avons l'honneur de vous faire parvenir
- Nous vous adressons par ce pli
  sous pli séparé
  par ce même courrier

- la documentation souhaitée.
- une description de toute la gamme de nos produits.

- Nous pouvons effectuer livraison dans un délai de 30 jours.
- Nous apporterons tous nos soins à l'exécution de votre commande.

(iii) Orders:

- Nous avons | • le plaisir / • l'honneur | de vous | • passer / • transmettre | la commande suivante

- Nous vous confirmons notre | • commande / • accord | pour la livraison de . . .

(iv) Apologies:
- Nous vous prions de nous | • excuser pour ce retard. / • pardonner cette erreur.

- Nous regrettons vivement | • cette négligence / • ce malentendu, etc. | de notre part.

- Nous vous présentons nos excuses les plus sincères.
- L'erreur était due à des circonstances indépendantes de notre volonté.

- Nous espérons que | • cette erreur / • ce contretemps | n'aura pour vous aucune conséquence fâcheuse.

   (v) Complaints:
- Nouse avons le regret de vous informer que . . .
- Nous vous rappelons que vous nous aviez promis de . . .

- Nous ne sommes pas du tout satisfaits de la | • qualité / • finition |

de la marchandise livrée.

- Nous avons constaté plusieurs erreurs dans les chiffres cités.
- Nous ne sommes pas d'accord sur le montant facturé.
- Nous ne nous expliquons pas la différence de prix.
- Nous serons obligés de nous adresser ailleurs.

- Nous comptons sur vous pour rectifier la situation

- par retour du courrier.
- par ce même courrier.

c Close

(i) It is necessary to lead into the final complimentary close (formule de politesse) with a suitable phrase. This will depend on the nature of the letter. For example:

If a reply is needed:

● Dans l'attente

> ● de recevoir bientôt de vos nouvelles, . .
> ● d'une réponse favorable, . .
>   rapide, . .
> ● de vous lire, . .

If you can be of further assistance:
● Nous restons à votre entière disposition pour tout renseignement complémentaire, . .

To thank them for their interest:

● En vous remerciant de l'intérêt que vous portez à

> ● nos produits
> ● notre maison

, . .

If you wish to sell them your services and assure them of your best attention:
● Dans l'attente de recevoir votre commande à laquelle nous apporterons tous nos soins, . .

If you wish to repeat an apology made earlier in the letter:

● Nous vous renouvelons toutes nos excuses pour ce

> ● malentendu
> ● contretemps

et vous prions de . . .

To thank in anticipation:
● En vous remerciant d'avance, . .

To reassure:
● En vous assurant

> ● de notre bonne volonté, . .
> ● que nous ferons tout notre possible pour résoudre ce problème, . .

(ii) Formule de politesse (complimentary close):
Following on immediately from the 'lead-in' shown in (i) above, there are several permutations possible, most of them involving 'salutations', 'sentiments' or 'considération'. The title used (Messieurs, Madame, etc.) must be the same as in the salutation. The following suggestions should help you cope with most letters, and they can all be safely translated by 'Yours sincerely' or 'Yours faithfully' as appropriate.
To a customer:

> ● Veuillez
> ● Nous vous prions d'

agréer, Monsieur, l'expression de nos sentiments dévoués.

To a superior:

> ● Veuillez
> ● Je vous prie d'   agréer, Monsieur le Directeur, l'expression de mes sentiments les plus dévoués.

To be polite and pleasant, but matter-of-fact:
● Recevez, Madame, mes salutations les meilleures.

To be polite, but nothing more (i.e., to express dissatisfaction or annoyance):
● Recevez, Messieurs, nos salutations.

Style

The question of style is very important in the presentation of business letters.

Although you may come across the expressions on the left below, you are more likely to see, and you should aim at using, the alternatives on the right.

Avoid	**Use**
Pouvez-vous nous dire	→ Pourriez-vous nous { faire savoir / indiquer / signaler
Merci pour votre lettre	→ Je vous remercie de votre { courrier / lettre
Nous nous excusons pour cette erreur	→ Nous vous prions de nous excuser pour cette erreur
J'aimerais avoir de la documentation	→ Je souhaiterais recevoir de la documentation
Envoyez-nous votre catalogue, s'il vous plaît	→ Nous vous prions de bien vouloir nous faire parvenir votre catalogue

section c   *Part One: Examples of business letters*

Demande de renseignements

Aux Quatre Gourmands
37, rue du Bourg
03000 MOULINS

V/réf.:
N/réf.: PD/1

Confiseries de France
21, bd. Bellini
B.P. 5035
34032 MONTPELLIER Cedex

Moulins, le 25 mai 1990

Objet: demande de renseignements

Messieurs,

Vos affiches publicitaires ayant attiré notre attention, nous souhaiterions obtenir de plus amples renseignements sur vos produits.

Auriez-vous l'obligeance de nous envoyer votre dernier catalogue, une liste de prix (*) et quelques échantillons. Veuillez aussi nous faire savoir quels sont vos modalités et conditions de paiement (*), ainsi que vos délais de livraison.

Nous vous en remercions d'avance.

Dans l'attente d'une réponse rapide, recevez, Messieurs, nos salutations les meilleures.

P. Delacroix

P. Delacroix

Offre

CALOREX FRANCE - appareils de chauffage - chaudières
S.A.R.L. au capital de 100 millions de francs
18, rue Jean Jaurès - Zone Industrielle - BP 119 -
92303 COURBEVOIE CEDEX
téléphone: (1) 45 98 51 32 télex: 426895 F télécopie: 34 43 21 50

Domestic Appliances Ltd.
3, Home Park,
SIDCUP
Kent
Angleterre DA12 6SJ

vos réf: JS/GB
nos réf: GC/DAT   Courbevoie, le 15 mars 1990

objet: v/lettre du 6 mars

p.j.:   1 catalogue
         1 liste de prix
         1 bon de commande

à l'attention de Mr Stanley

Monsieur,

Nous vous remercions de votre courrier du 6 ct. et de l'intérêt que vous portez à nos produits.

Veuillez trouver ci-joint notre catalogue, ainsi que notre liste de prix et un bon de commande.

Pour tout paiement comptant vous bénéficierez d'un escompte de 3% et nous serions prêts à vous accorder un rabais spécial de 2,5% à l'occasion de votre première commande. Nos prix s'entendent franco à bord (*) Calais.

Nos délais de livraison sont de trois semaines maximum à dater de la réception de votre commande dans nos bureaux.

Notre représentant Monsieur Vincent sera en Angleterre à partir du 15 avril et serait heureux de vous rendre visite, soit le 18, soit le 19. Veuillez nous faire savoir quelle est la date qui vous convient le mieux.

Pour tout renseignement complémentaire n'hésitez pas à vous mettre en rapport avec nous; nous sommes à votre entière disposition.

Dans l'espoir que nos conditions vous permettront de nous passer commande, veuillez agréer, Monsieur, l'expression de nos sentiments dévoués.

le Directeur Commercial

Jean-Louis Lemoine

*See pp. 132–3

Commande

J Murray & Sons
Crystal, Glass and China Ware
236 High Street
MALDON
Essex   CM5 8LM

Ets. Quinten S.A.,
196, route de Grenoble
B.P. 161
69802 ST. PRIEST Cedex
France

Maldon, le 12 juin 1990

objet: commande de porcelaine

<u>à l'attention du Chef du Service des Ventes</u>

Monsieur,

Les articles que vous nous proposez par votre lettre du 29 mai répondent parfaitement à nos besoins, et vos conditions générales de vente nous semblent satisfaisantes. Donc si vous vous engagez à effectuer livraison le 20 juillet au plus tard, et ce sans augmentation de prix sur le tarif actuel, nous sommes prêts à vous passer ferme commande de:

- 6 services de table, modèle BALLETT, réf. 5119 à 2131,00F
- 6 services à gâteau, modèle SATURN, réf. 17115 à 1280,40F
- 6 services à café, modèle SATURN, réf. 28596 à 550,50F

Ceci à condition que les prix cités soient franco de port et d'emballage.*

Nous vous serions reconnaissants de nous confirmer votre accord sur ces conditions. De notre côté nous réglerons la facture suivant les modalités précisées dans votre dernière lettre.

Dans l'attente de recevoir très bientôt votre lettre de confirmation, recevez, Monsieur, nos salutations les meilleures.

le directeur du service des achats

Martin Webster

Martin Webster

*(see p. 132)

Réclamation

Beachgear U.K.
3 Oldham Road, Manchester M6 3NP

> Aux 100,000 Maillots
> Quai Jules Ferry
> 69000 LYON CEDEX
> France

Manchester, le 2 mai 1990

v/réf: BG/J-JS
n/réf: NA/MF

objet: n/commande 476 du 15 mars 1990

Messieurs,

Nous avons dû attendre votre livraison pendant de nombreuses semaines et la non-observation des délais de livraison a eu pour nos affaires les plus graves conséquences, notre commerce étant saisonnier. Nous avons insisté plusieurs fois sur l'urgence de la livraison. Si nous ne pouvons pas nous fier à vos promesses, nous vous verrons à l'avenir dans l'obligation de nous adresser à d'autres fournisseurs.

De plus, au déballage, nous avons constaté plusieurs erreurs dans le choix des teintes parmi certains articles que nous vous retournons en port dû.

Enfin nous ne sommes pas d'accord sur le montant facturé. Vous nous aviez laissé entendre que vous prendriez à votre charge les frais d'emballage, mais nous constatons d'après votre facture qu'il n'en est pas ainsi, et nous vous prions de nous fournir des éclaircissements à ce sujet.

Recevez, Messieurs, nos salutations.

Expressions utiles

(see also *Petit Guide des Sigles*)

1 Les prix		
	départ usine/sortie usine	*ex works*
	devis (m)	*estimate*
	en port dû	*carriage forward*
	frais d'emballage en sus	*packaging charge extra*
	franco de port	*carriage paid*
	franco domicile	*carriage paid to customer's warehouse*
	franco frontière française	*free French frontier*
	h.t. (hors taxe)	*not including VAT (also used to express 'duty free')*
	montant (m)	*total amount*
	redevance douanière	*customs' handling charge*
	relevé (m)	*statement*
	timbre de connaissement (m)	*bill of lading stamp*

2 Les modalités et conditions de paiement	acompte (m)	*part payment/instalment*
	arrhes (f.pl.)	*deposit*
	comptant contre documents	*cash against documents (CaD)*
	comptant contre remboursement	*cash on delivery (CoD)*
	paiement à la commande	*cash with order*
	paiement avant (après) l'expédition	*payment before (after) despatch*
	paiement à réception de facture	*payment on receipt of invoice*
	paiement à témpérament	*payment by instalments*
	paiement par relevé mensuel	*monthly settlement*
	payer à terme	*to buy on credit*
	payer comptant	*to pay cash*
	port dû	*carriage forward*
	quittance (f)	*receipt*
	transfert de fonds (m)/virement (m)	*(bank) transfer*
	trente jours fin de mois	*within 30 days of the end of month of receipt of invoice*

Part Two: Useful personal letters

Letter A: Hotel reservation

objet: réservation de chambre

Madame/Monsieur,

Je vous prie de bien vouloir me réserver deux chambres individuelles avec salle de bains pour les nuits du 3 et 4 avril aux noms de Messieurs Calavasse et Périer.

Veuillez me faire savoir le prix des chambres et me préciser si le petit déjeuner et le service sont inclus. Pourriez-vous aussi m'indiquer si je dois vous verser des arrhes au préalable.

Je vous en serais reconnaissant si vous pouviez me répondre par retour du courrier.

Je vous en remercie d'avance.

Dans l'attente de vous lire, recevez, Madame/Monsieur, mes salutations les meilleures.

Letter B: Request for work experience

objet: demande de stage

à l'attention du Chef du Personnel

Monsieur,

Je me permets de m'adresser à vous dans l'espoir de trouver un stage rémunéré d'une durée de . . . . . . dans votre entreprise.

Je poursuis des études de . . . . . à . . . . . où je suis actuellement en . . . . . année d'un programme qui dure . . . . . . ans.

J'ai l'intention de me spécialiser dans . . . . . en dernière année; je souhaiterais, donc, faire mon stage dans ce service. Cependant, si cela s'avérait impossible, je serais prêt(e) à acquérir de l'expérience dans un autre département.

Veuillez trouver ci-joint un curriculum vitae* et une photo récente. Je me tiens à votre disposition pour vous fournir tout renseignement complémentaire.

J'espère que vous voudrez bien prendre ma candidature de stagiaire en considération, et je vous en remercie d'avance.

Dans l'attente d'une réponse favorable, je vous prie d'agréer, Monsieur, l'expression de mes sentiments respectueux.

Letter C: Job application

objet: demande d'emploi

Monsieur,

Comme suite à l'annonce parue dans le . . . . . . du 8 avril dernier, je me permets de poser ma candidature au poste de . . . . . que vous proposez.

J'ai fait des études de . . . . . à . . . . . . Je possède une licence/un diplôme de . . . . . . Ma langue maternelle est l'anglais, mais je parle couramment le français. En ce moment j'occupe le poste de . . . . . dans une petite entreprise de . . . . . . où malheureusement je n'ai pas assez l'occasion de me servir de mes connaissances de français.

Je souhaiterais occuper un emploi qui me permettrait d'utiliser mon désir d'entreprendre et mon sens de l'initiative. Je pense posséder les qualités de dynamisme et de diplomatie auxquelles fait allusion votre annonce. Je travaille bien au sein d'une équipe, et j'espère que mon expérience professionnelle ainsi que mon profil correspondent à la personne que vous recherchez.

Veuillez trouver ci-joint mon curriculum vitae*.

En espérant que ma proposition retiendra votre attention, je vous prie d'agréer, Monsieur, l'expression de mes sentiments les plus respectueux.

Note*   A Curriculum Vitae (c.v.) should always accompany a letter of application. The example shown below could provide a possible model to follow.

NOM: Hudspeth John

ADRESSE ACTUELLE: 23 Molesworth Road, PLYMOUTH, Devon PL1 2SR

ADRESSE PERMANENTE: 8 Trelawny Way, St Anns, Cornwall PL3 1ZN

RENSEIGNEMENTS D'ORDRE GENERAL

NATIONALITE: britannique

ETAT CIVIL: célibataire

DATE ET LIEU DE NAISSANCE: né le 30.10.70 à Maldon, Essex, Angleterre

SCOLARITE

1981-88   études secondaires au lycée Callington Community School, Cornwall

1986   diplômes GCE (General Certificate of Education)
           'O' level* (qui sanctionnent cinq années d'étude) en maths;
           anglais; histoire; géographie; chimie; physique; français;
           allemand.

1988   diplômes GCE 'A' level (niveau avancé qui sanctionnent deux années
           en classes terminales) en -

           français A (mention très bien)
           allemand B (mention bien)
           sciences économiques C (mention assez bien)
           espagnol D (mention passable)

FORMATION/ETUDES EN COURS

1988-92   études supérieures à l'Ecole Supérieure de Commerce de Plymouth
           Polytechnic
           BA Business Studies (Licence de gestion et de français)

STAGES/EXPERIENCE PROFESSIONNELLE

1987-88   emploi à temps partiel le week-end dans un grand magasin

été 1988   travail temporaire dans une agence de voyages

1990-91   travail à temps complet, stage dans une entreprise d'informatique,
           Computer Communications Ltd, Bristol, England (Service Marketing)

PASSE-TEMPS/LOISIRS

sports: ski; alpinisme; voile; rugby (capitaine de l'équipe de l'école);
randonnée.

voyages: séjours aux Etats Unis, en France et en Allemagne Fédérale.

autres: lecture; échecs.

* examen remplacé en 1988 par le GCSE (General Certificate of Secondary
  Education)

section d Exercises

A En-tête

Study the letter head below and answer the following questions.

QUAKER FRANCE

ALIMENTS CHIEN ET CHAT **FIDO**   ◉   CÉRÉALES **QUAKER**

siège social : 40, boulevard de dunkerque - 13002 marseille – télex : quak 440817 f – tél. 91 91.91.48
direction commerciale : immeuble évolution - 18, 26, rue goubet - 75940 paris cedex 19 - télex : 220857 - tél. 1 42.45.73.73
usines : kergostiou 29130 quimperlé – r.c. 75 b 107 – télex : fido 940764 – tél. 98 96.17.16 / 98 96.05.51
z.i. la plaine b.p. 18 – 42340 veauche – télex : 310516 – tél. 77 36.69.44

S. A. CAPITAL 53.600.000 F.   C. C. P. MARSEILLE 3119 22 K   SIREN 302 079 462   R. C. MARSEILLE B

a What type of company is it and what type of products does it manufacture?
b What address would you write to if you had a query about an invoice?
c If you wanted to pay by giro transfer what is their number?
d If a customer in Rennes wanted to ring their nearest factory what number would he dial?

B Mise en page

You are working for HOMEDECOR of Reading. Lay out the beginning of your reply to an enquiry you have received from a Monsieur Jospin, writing on behalf of Ets. Ducor of 3, rue de l'Empereur, B.P.36, 03203 VICHY Cedex.

Your reference is MB/JY and you are enclosing a copy of your catalogue and a price list. The date of your reply is the 4th. March.

HOMEDECOR
Windsor Park Road
Reading
Berkshire

C Formules de politesse (see pp. 127–8)

Write suitable complimentary closes with the appropriate 'lead-in' phrase to a letter to:

a a regular customer, Jean Fontugne, whom you have known for several years and who has just placed a large order with you.
b a firm which has written asking for information on your products.
c a recently acquired customer, Madame Laporte, who has written complaining she has been sent the wrong goods.
d the Managing Director of your Paris parent company asking you to sort out a problem.

D Transcription

Transcribe the two recorded letters and translate them into good commercial English.

E

Write a reply on behalf of Confiseries de France to the letter on p.129

● thanking them for their enquiry
● asking them to find enclosed the information they requested (a sample of your raspberry flavoured sweets is being sent under separate cover)
● payment must be made when placing order, but as a new customer they would be entitled to a 5% discount
● prices quoted are carriage paid
● delivery is guaranteed within two weeks of receipt of written order

Finish with a suitable complimentary close.

F

Reply on behalf of 'Aux 100,000 maillots' to Beachgear U.K. (see letter on p.132)

● apologising for the delay in delivery and the errors in the consignment
● on receipt of the goods they are returning you undertake to send, by return, the missing items
● you will draw up a new invoice to take into account your original undertaking to meet packaging costs
● as compensation you will give them a 3% reduction on their next order

Finish with a suitable complimentary close.

G

Write to the Hôtel des Voyageurs, Brest to reserve one double and one single room for the nights of June 15 and 16.

You will require bathroom and toilet with the double room and shower and toilet with the single.
Ask for the price (inc. VAT) of the rooms and breakfast (if not included).
Do they accept Visa and/or Access credit cards?
You will be arriving between 18h00 and 20h00 on June 15 by car and would like to know if the hotel has a garage.
Could they confirm within the next two weeks.

H

Choose the job which interests you most from the selection below and write a letter of application together with a c.v.

L'Expansion, 3/16 juin 1988

I

Translate the advertisements below into French for insertion into a French daily newspaper.

Madame Legrand has accepted Mr Sanderson's invitation to visit the factory and he shows her round the main departments.

Listen to the dialogue and then answer the questions in Section A.

Vocabulaire

ravi	*delighted*
prévenir	*to let know; warn*
usine (f)	*factory*
atelier (m)	*workshop*
aile (f)	*wing*
montage (m)	*assembly*
chaîne de montage (f)	*assembly line*
équipe (f)	*shift*
ouvrier (m)/ouvrière (f)	*worker*
effectuer	*to carry out; perform*
tâche (f)	*task*
aboutir (à)	*to result (in)*
être payé au rendement	*to be paid by output; to be on piece work*
représentant syndical (m)	*trades union representative*
prime (f)	*bonus*
revendication (f)	*demand; claim*
contremaître (m)	*foreman*
main d'oeuvre (f)	*work-force*
expédition (f)	*dispatch*

manutentionnaire (m/f)	*packer; loader*
charger	*to load*
entrepôt (m)	*warehouse*
camionneur (m)	*lorry driver*
licencier	*to make redundant*
recycler	*to retrain*
effectifs (mpl.)	*number (of employees)*
à plein rendement	*at full capacity*
faire face	*to cope*
être débordé	*to be unable to cope/to be 'snowed under'*

1 Answer in French

a Qu'a fait M. Sanderson avant de commencer la visite?
b Que trouve-t-on au bâtiment A.?
c Pourquoi la chaîne de montage ne s'arrête-t-elle jamais?
d Combien de temps faut-il pour fabriquer une pièce complète?
e Quel a été le résultat de l'accord signé entre les représentants syndicaux et la direction?
f Pour quelle raison a-t-on choisi une femme comme chef du pesonnel?
g Comment s'effectue l'expédition?
h Comment la direction a-t-elle évité des licenciements chez les manuten-tionnaires?
i Quel pourcentage de manutentionnaires a-t-il fallu recycler?
j Quels visiteurs sont attendus pour la semaine prochaine?

2 Translate

a Welcome to our factory!
b I'm delighted you invited me.
c I'm looking forward to seeing your factory site.
d I must let my secretary know.
e We have a shift system.
f Every three minutes.
g Are they on piece work?
h With the possibility of overtime and bonuses.
i This type of demand is quite common.
j Your work force is mainly female.
k Did you have to make staff redundant.
l A pity you don't have more time.
m I must come another time.
n You seem to be working to full capacity.
o And can you cope?
p You aren't snowed under?

Dialogue

Sanderson	Bonjour madame. *Soyez la bienvenue dans notre établissement!*
Legrand	*Je suis ravie que vous m'ayez invitée.*
Sanderson	Voulez-vous que je vous fasse visiter l'usine tout de suite?
Legrand	Mais bien volontiers. *J'ai hâte de voir vos installations.*
Sanderson	D'accord, mais d'abord *il faut que je prévienne ma secrétaire.* Je vais lui laisser un mot . . .
	Voilà qui est fait! Allons-y, voici un plan de notre usine.
Legrand	Je vois que les ateliers sont tous groupés dans une seule aile du bâtiment.
Sanderson	Si vous le voulez bien allons d'abord au bâtiment A . . . . Voici l'atelier de fabrication et de montage. Evidemment *le travail se fait par équipes*, ainsi la chaîne de montage ne s'arrête jamais. Chaque ouvrier effectue une tâche bien définie ce qui aboutit *toutes les trois minutes* à une pièce complète.
Legrand	*Ils sont payés au rendement* ou ont-ils un salaire fixe?
Sanderson	La direction vient de signer un accord avec les représentants syndicaux qui ont préféré que les ouvriers aient un salaire fixe pour une semaine de quarante heures, *avec possibilité de faire des heures supplémentaires, et de toucher des primes.*
Legrand	Oui, chez nous aussi, *ce genre de revendication est assez courant.*
Sanderson	Alors à côté, vous avez l'atelier de contrôle de qualité. Mr Johnson que vous voyez là-bas est un de nos contremaîtres qui travaille sous les ordres de Mr Brown que vous connaissez déjà.
Legrand	Je remarque que *votre main d'œuvre est essentiellement féminine.*
Sanderson	C'est pour ça que nous avons voulu que notre chef du personnel soit une femme . . . . . . Nous voici maintenant aux services d'emballage et d'expédition, qui, comme vous le voyez, se trouvent proche l'un de l'autre.
Legrand	Comment s'organise l'expédition?
Sanderson	Nos manutentionnaires chargent la marchandise dans les conteneurs que vous voyez là-bas dans l'entrepôt et les conteneurs sont après pris en charge par nos camionneurs.
Legrand	Je vois que la manutention est réduite au minimum. *Est-ce que vous avez été obligés de licencier du personnel?*
Sanderson	Non, mais il a fallu qu'on recycle les deux tiers de nos manutentionnaires, pour éviter de réduire nos effectifs.
Legrand	Déjà 11.00 heures! Il ne faut pas que j'oublie mon rendez-vous avec votre chef du service aprés-vente!
Sanderson	*Dommage que vous n'ayez pas plus de temps*, je vous aurais fait visiter nos bureaux.
Legrand	*Il faudra que je revienne une autre fois* pour terminer la visite. Mais je repars avec une bonne impression et c'est ça l'essentiel. *Vous semblez travailler à plein rendement.*
Sanderson	Oui, les commandes affluent de toutes parts.
Legrand	*Et vous pouvez faire face? Vous n'êtes pas débordés?*
Sanderson	Non, ça va, à condition qu'il n'y ait pas de grèves bien sûr! Je suis heureux que notre usine vous ait fait bonne impression et je souhaite seulement que nos visiteurs japonais attendus pour la semaine prochaine aient la même réaction que vous!

section b *Exercises*

A *Subjunctive (wish/preference)*

Exemple: On fera le tour de l'usine plus tard si vous préférez . . .
Réponse: Oui, je *préfère qu'on fasse* le tour de l'usine plus tard.

Now continue:

a Je peux vous prendre rendez-vous si vous voulez . . .
b Je peux informer tout le personnel de votre décision si vous préférez . . .
c Elle lui écrira si vous aimez mieux . . .
d Notre représentant viendra demain si vous préférez . . .
e On visitera le service d'emballage si vous voulez . . .

B *Subjunctive (emotion/feeling)*

(heureux que; désolé que; s'étonner que; honteux que; c'est dommage que; fâché que; navré que; surpris que; ravi que; curieux que)

React to the following statements using one of the above expressions. Do not use the same expression twice.

Exemple: Elle reçoit chaque année une augmentation de salaire.
Réponse: *Je suis heureux qu'elle reçoive* chaque année une augmentation de salaire.

Now continue:

a Il a eu un accident de voiture.
b Nos ouvriers font souvent la grève.
c Mon collègue a eu des ennuis avec sa nouvelle voiture.
d Elle est partie avant la fin de la visite.
e Ils vont chaque année passer leurs vacances au même endroit.
f Les ouvriers immigrés sont souvent mal payés par rapport à leurs homologues français.

Now give three examples of your own using the remaining expressions.

C *Subjunctive after* falloir

Exemple: Elle *est* obligée de partir tout de suite n'est-ce pas?
Réponse: Oui, il *faut qu'elle parte* tout de suite.
Exemple: Vous *ne serez pas* obligé de la rappeler plus tard, n'est-ce pas?
Réponse: Non, *il ne faudra pas* que *je la rappelle* plus tard

Now continue:

a Vous n'êtes pas obligés de réduire vos effectifs n'est-ce pas?
b Elles ont été obligées de suivre des cours de sténo-dactylo, n'est-ce pas?
c Il n'était pas obligé d'y rester toute la journée, n'est-ce pas?
d Si ça continuait nous serions obligés de faire quelque chose, n'est-ce pas?
e Si elle lui avait posé des questions il aurait été obligé de répondre, n'est-ce pas?

D Spoken/Written exercise

Subjunctive with possibility/doubt/denial/necessity/ordering/forbidding.

Complete the following passage using the verbs given in the box below.

Il se peut que le Français moyen ne . . . pas souvent en Angleterre pour deux raisons principales. D'abord il est peu probable qu'il . . . trouver le soleil en Angleterre même au mois de juillet et deuxièmement on ne peut pas nier que la cuisine anglaise dans la plupart des hôtels . . . inférieure à celle qu'on trouve en France.

Ce n'est pas qu'il ne peut pas supporter quelques jours de pluie mais s'il n'a que quelques semaines de vancances il vaut mieux qu'il . . . dans le Midi où il est plus sûr de trouver le beau temps.

Je ne crois pas que la question de la cuisine . . . une très grande importance mais un Français exige quand-même qu'il y . . . un certain raffinement dans ses aliments et il est possible qu'il . . . deçu par la nourriture anglaise. Peut-être faudrait-il que les restaurateurs britanniques . . . preuve de plus d'imagination s'ils veulent empêcher que le touriste français ne . . . mécontent.

| aller | être (2) | avoir (2) | venir | pouvoir | faire | partir |

E

Listen to the recorded passage describing the organisation of a (fictitious) French manufacturing company. Then, based on the information given, and using the figure on p.146 as a model, complete the blank 'organigramme' below in French and giving, where possible, the number of employees.

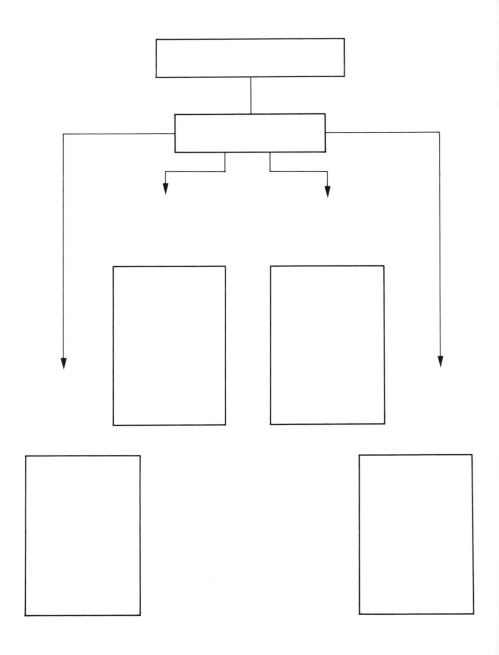

Organigramme d'une entreprise commerciale

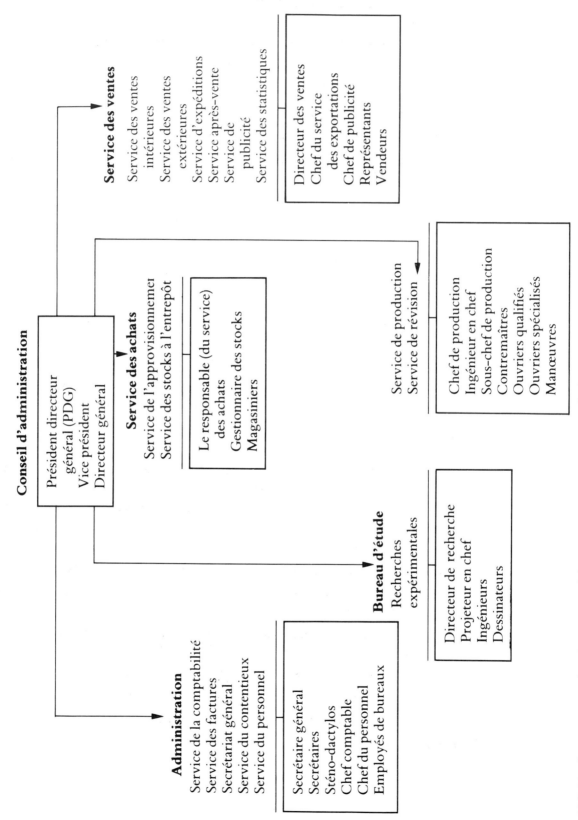

Conseil d'administration
Président directeur général (PDG)
Vice président
Directeur général

Service des ventes
Service des ventes intérieures
Service des ventes extérieures
Service d'expéditions
Service après-vente
Service de publicité
Service des statistiques

Directeur des ventes
Chef du service des exportations
Chef de publicité
Représentants
Vendeurs

Service des achats
Service de l'approvisionnemer
Service des stocks à l'entrepôt

Le responsable (du service) des achats
Gestionnaire des stocks
Magasiniers

Service de production
Service de révision

Chef de production
Ingénieur en chef
Sous-chef de production
Contremaîtres
Ouvriers qualifiés
Ouvriers spécialisés
Manœuvres

Administration
Service de la comptabilité
Service des factures
Secrétariat général
Service du contentieux
Service du personnel

Secrétaire général
Secrétaires
Sténo-dactylos
Chef comptable
Chef du personnel
Employés de bureaux

Bureau d'étude
Recherches expérimentales

Directeur de recherche
Projeteur en chef
Ingénieurs
Dessinateurs

N.B. Une firme ne comprend pas forcément tous les services que nous avons énumérés plus haut.

℺ *Rôle-play*

You have been asked to show a French visitor round your factory.

■ (Welcome her to your factory!)

Visiteuse   Je vous remercie. C'est très aimable à vous de m'inviter.

■ (Ask if she would like you to show her around the factory straight away.)

Visiteuse   Mais avec plaisir! J'ai hâte de voir vos installations.

■ (Say you must let your secretary know where you are. You'll have to leave her a note.)

Visiteuse   Je vous en prie.

■ (Here's a plan of the factory. The workshops are all in the same wing. You'll go there first.)

Visiteuse   D'accord, je vous suis.

■ (This is the assembly workshop. The workers on this assembly line work in shifts.)

Visiteuse   Vos ouvriers, ont-ils un salaire fixe ou sont-ils payés au rendement?

■ (They have a fixed wage for a 39 hour week, but they can work overtime and earn bonuses depending on their output.)

Visiteuse   Oui, ce système de rémunération est très courant chez nous aussi.

■ (As she can see, your work-force is mainly female. Mr Taylor is the foreman, but your personnel manager is a woman, Mrs Jeffries.)

Visiteuse   Ah oui, j'ai fait sa connaissance en arrivant.

■ (Say you are now in the quality control department. She will notice it is next to the packaging and dispatch department.)

Visiteuse   Vous semblez avoir un service très moderne qui nécessite peu de personnel.

■ (Yes, when you modernised it was necessary to retrain some workers, but nobody was made redundant.)

Visiteuse   Comment vont les affaires, à propos? Vous n'êtes pas trop débordés?

■ (No, business is good. Orders are coming in thick and fast, but you can cope for the moment.)

Visiteuse   Déjà 10h30. Que le temps passe! Il ne faut pas que j'oublie mon rendez-vous avec votre directeur du service après-vente, Mr Champness.

■ (What a shame she doesn't have time to visit your offices.)

Visiteuse   J'en aurai peut-être l'occasion plus tard dans l'après-midi.

■ (Good. Would she like you to take[1] her to Mr Champness' office?)

Visiteuse   Oui, s'il vous plaît.

■   (Here you are. Say you'll see her later at lunch as the managing director wants you to be the interpreter[2].)

Visiteuse   J'en serais reconnaissante. Merci d'avance. A tout à l'heure alors?

[1]mener
[2]faire l'interprète/servir d'interprète

F Written/spoken summary

With the help of the framework given below record or write a summary of the dialogue.

Madame Legrand a accepté l'invitation de Mr Sanderson de visiter l'usine, et a été accueillie par lui.

Now continue:

. . . prévenir la secrétaire . . . atelier de fabrication et de montage . . . travail par équipe . . . système de paiement . . . contrôle de qualité . . . main d'œuvre essentiellement féminine (chef du personnel) . . . services d'emballage et d'expédition (conteneurs/camionneurs) . . . peu de personnel (licenciements?) . . . rendez-vous de Mme Legrand à 11h00 . . . regrets de Mr Sanderson . . . impressions de Mme Legrand . . . réponse de Mr Sanderson.

G Interpreting exercise

Play the rôle of Miss Johnson who is acting as 'two-way' interpreter between the managing director (Mr Wilson) and an important French client (M. Buron) who is being shown round the factory.

Wilson   M. Buron, this is Miss Johnson who will act as our interpreter during your visit round our factory. She is one of our bi-lingual secretaries.

Buron   Ça fait plaisir de voir qu'il y a des employés qui connaissent le français. Je regrette de ne pas avoir eu l'occasion d'apprendre l'anglais à l'école!

Wilson   Well, as you can see M. Buron, all the workshops are grouped in the same wing of the building. Which department would you like me to show you first?

Buron   J'aimerais bien voir les ateliers de montage depuis qu'ils ont été modernisés . . .

Wilson   This is where we manufacture our products. Thanks to these new machines we can make one complete article every four minutes.

Buron   Est-ce que vos ouvriers sont payés au rendement dans cet atelier?

Wilson   No, the unions have just signed an agreement with the management to do away with piece work. They preferred to be paid a fixed wage for a forty hour week.

Buron   Mais chez nous les taux de paiement varient selon que l'on travaille le jour ou la nuit.

Wilson   Yes, of course. The men must work nights one week in three and they receive a higher rate of pay that week, the other two weeks they have the opportunity of working overtime if they wish to. We also have a bonus system.

Buron   Si c'est possible avant de partir j'aimerais jeter un coup d'œil au service d'expédition.

Wilson   With pleasure . . . After manufacture, the goods must go through quality control and from there, to the packaging department and from there, they come here to dispatch.

Buron   Ces conteneurs facilitent énormément le chargement et l'expédition. Vous avez dû licencier des ouvriers je suppose . . .

Wilson   No, we retrained most of them. Now, would you like to see our advertising and administrative departments before you leave?

Buron   Merci, un autre jour peut-être. C'est dommage que je n'aie pas le temps aujourd'hui, mais il faut que je sois à Manchester ce soir. Je dois avouer que votre usine m'a fait très bonne impression et si vous me faites une remise de 5% et si vous garantissez les délais de livraison convenus, je vous passe commande tout de suite.

Wilson   I'm sorry you can't stay longer, but I'm sure we can do business. Normally, we give all clients a 3% reduction for cash payment but for new customers like yourself, and considering the size of the order, we would be pleased to grant 5%. It's unlikely we could give more than that at the present time.

Grammar

1 Present Subjunctive

Stem: The Present Subjunctive stem of most verbs is the same as the indicative stem in the 3rd person plural present tense:

donner: donn–
finir: finiss–
vendre: vend–
but note the following common irregular stems:
faire: fass–   pouvoir: puiss–
savoir: sach–

Endings: With the exceptions of *être* and *avoir* which must be learned separately (see note 1 below) the endings for **all** verbs in the present subjunctive are as follows:

je —e   *nous —ions*
tu —es   *vous —iez*
il —e   *ils —ent*
e.g.: *je donne; tu finisses; il vende;*
     nous fassions; vous sachiez; ils puissent

Notes   **1** Present Subjunctive of *être: sois, sois, soit, soyons, soyez, soient.*
Present Subjunctive of *avoir: aie, aies, ait, ayons, ayez, aient.*

2 Certain irregular verbs revert in the 1st and 2nd person plural to a similar form to the Imperfect Indicative:

aller: *aille; ailles; aille;* **allions; alliez;** *aillent*
vouloir: *veuille; veuilles; veuille;* **voulions; vouliez;** *veuillent*
prendre: *prenne; prennes; prenne;* **prenions; preniez;** *prennent*
venir: *vienne; viennes; vienne;* **venions; veniez;** *viennent*

2 Imperfect Subjunctive

One of three types based on the Past Historic endings, **—ai; —is; —us;**

je	parl—asse	je	descend—isse	je	fusse
tu	parl—asses	tu	descend—isses	tu	fusses
il	parl—ât	il	descend—ît	il	fût
nous	parl—assions	nous	descend—issions	nous	fussions
vous	parl—assiez	vous	descend—issiez	vous	fussiez
ils	parl—assent	ils	descend—issent	ils	fussent

3 Perfect and Pluperfect Subjunctive

Formed by putting the auxiliary verb (*avoir/être*) into the present subjunctive (Perfect) and imperfect subjunctive (Pluperfect).

Perfect *Je suis désolé que vous n'***ayez** *pas* **pu** *le voir* – I'm sorry you weren't able to see him.

Pluperfect *Il était déçu qu'elle ne* **fût** *pas* **revenue** – He was disappointed she hadn't come back.

4 Tense of the Subjunctive

In theory the sequence of tenses when the Subjunctive is used in the dependent clause is as follows:

Present *il faut*
il faudra } *que j'y aille*
il a fallu

Imperfect *il fallait*
il fallut } *qu'il restât*
il faudrait

However, it is unlikely that you will hear French people use the Imperfect Subjunctive in speech, and in particular the '–ass–' form should be avoided. Despite the theory shown above, in practice the Present Subjunctive is nearly always used:

Elle souhaitait qu'il **reste** *avec elle.*
Il faudrait que j'y **aille.**

5 Use of the Subjunctive

General   Broadly speaking the Subjunctive tends to be used where there is an element of doubt/uncertainty/conjecture and therefore tends to convey the idea of: would
should
could   do
may
might

Hence the Subjunctive occurs in clauses dependent on verbs and expressions denoting:

a Desire/wish/emotion/sentiment
wish/desire:

vouloir que   *aimer mieux que*
désirer que   *préférer que*
souhaiter que

Je préfère qu'il **vienne** *un autre jour* (implies 'would come').
Ils voulaient qu'on **aille** *les voir demain* (implies 'should go').
Je souhaite que vous **arriviez** *sain et sauf* (implies 'may arrive').

emotion/feeling:

être heureux/ravi/content que
être désolé/fâché que
c'est dommage/honteux que
il est curieux que
regretter que
s'étonner que
Je suis désolé que vous **n'ayez pas pu** *le voir* (implies 'should not have been able to').
C'est honteux que vous ne **puissiez** *pas le voir* (implies 'should not be able to').

b Possibility[1]/doubt/necessity/denial

possibility: *il est possible que/il est impossible que*
        il se peut que
Il se peut que vous **ayez** *raison* (implies 'could/may be right').

doubt: *il est peu probable que[2]*
        je ne crois pas que[2]/je ne pense pas que[2]
        je ne suis pas sûr que[2]
Je ne crois pas qu'il **fasse** *ça* (implies 'would do that').

necessity: *il est nécessaire que*   *il est temps que*
        il faut que   *il vaut mieux que*
Il vaut mieux que vous **attendiez** (implies 'should wait').

denial: *nier que*
        ce n'est pas que
Vous ne pouvez pas nier que la situation **soit** *dangereuse* (implies 'could be').

c Ordering/forbidding
commander que   *exiger que*
défendre que   *permettre que*
ordonner/donner l'ordre que   *empêcher que[3]*
Il a ordonné que tous ses hommes **soient** *prêts* (implies 'should be ready').

Notes

1 Hence the use of the Subjunctive after superlatives:
*C'est le plus beau film que **j'aie** jamais vu.*

2 The Indicative is used in the positive form:

il est probable que
je crois/je pense que } *vous **avez** raison*
je suis sûr que

3 Requires *ne* before the verb in the subjunctive, e.g.
*Empêchez qu'on **ne** parte!* Prevent anyone from leaving!

General guidance for using the subjunctive

As it is rather difficult to remember all the above categories, students might be advised to follow the general rule that the Subjunctive tends to occur in the clause following verbal constructions involving *que*, i.e. the verb in the Subjunctive is usually preceded by *que*.

Reading & Reacting

A   La disparition du travail à la chaîne

La disparition du travail à la chaîne

Surdités, névroses précoces, vieillissements prématurés, dépressions nerveuses, ces maladies sont le triste résultat d'un véritable fléau: le travail à la chaîne.

L'accusé s'appelle Frederick-Winslow Taylor, citoyen américain, mort en 1915, inventeur d'une méthode d'organisation du travail – le taylorisme. C'est lui le responsable de tous les maux dûs à l'évolution industrielle moderne et qui s'appellent mécanisation, automatisation, division du travail, définitions précises des mouvements de l'ouvrier et du temps nécessaire pour les accomplir. Jadis on applaudissait; les rendements montaient; la productivité éclatait. Maintenant, on s'épouvante devant des travailleurs irresponsables attachés à leurs machines, victimes de cadences effrénées.

Depuis des années, les sociologues s'interrogeaient. Ils condamnaient ces techniques, mais ils n'avaient rien d'autre à proposer. Aujourd'hui ils ont trouvé une solution: l'organisation du travail par groupes.

En Suède (le pays qui a le plus haut niveau de vie européen et une législation sociale d'avant-garde) le patronat a tout mis en œuvre pour trouver les moyens de donner satisfaction aux ouvriers, et travaille dans ce but avec les syndicats. Les syndicats suédois ont étudié le problème pendant deux ans et leur doctrine se résume en trois points:

● premièrement: la spécialisation oppresse l'ouvrier, donc il faut la supprimer.

● deuxièmement: quand il y a cinq ou six ouvriers autour d'une table ronde la monotonie disparaît.

● troisièmement: si les cadres laissent les ouvriers organiser eux–mêmes leur travail, ils ont un sentiment de liberté.

En France, aux usines Renault du Mans, ils ont essayé de trouver une autre solution au problème du travail à la chaîne. Depuis sept semaines six ouvriers spécialisés de la chaîne de montage des trains de la R5 participent à une expérience 'd'élargissement du travail'. Le principe en est simple: au lieu d'accomplir une opération bien précise (fixer un écrou, poser un porte-fusée, visser l'écrou) comme sur une chaîne classique, l'ouvrier effectue une série d'opérations tout au long de la chaîne: il monte ainsi l'ensemble d'un organe, par exemple un demi-train de R5. Le travailleur n'est plus rivé à sa place, il va et vient selon son travail.

L'opinion des ouvriers. Un des six choisis pour expérimenter cette nouvelle méthode a constaté: 'L'idée de la nouvelle chaîne est bonne. le travail est moins monotone. L'inconvénient est qu'on n'arrête pas de marcher. On fait à chaque opération un grand nombre de pas inutiles, parce que les pièces à monter ne sont pas à portée de main. Il faudrait une chaîne circulaire ou en fer à cheval.'

Paris Match

1 Answer the following questions in English

a What mental and physical disorders can be attributed to assembly-line working?

b What is 'Taylorism' and why was it welcomed initially and then later criticised?

c In what difficult dilemma did sociologists find themselves for several years?

d What conclusions emerged from the studies carried out by the Swedish trade unions?

e Explain briefly the experiment carried out at the Renault factory in Le Mans?

f What, according to the workers involved in the experiment, was the main disadvantage, and how could this be overcome?

2 Express in French

a Several illnesses and neuroses result from assembly-line working.

b If there was an increase in output and productivity, it was due to mechanisation and time and motions studies.

c Employers must work with unions to ensure workers gain job satisfaction by broadening their work experience.

d The work is not as boring if specialisation is removed and the workers are given the freedom to organise their own work.

e Other solutions have been tried. The idea is often simple but the disadvantage is that the workers do too much walking about if everything isn't to hand.

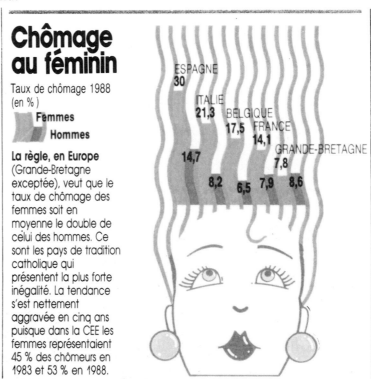

Chômage au féminin

Taux de chômage 1988 (en %)

Femmes
Hommes

La règle, en Europe (Grande-Bretagne exceptée), veut que le taux de chômage des femmes soit en moyenne le double de celui des hommes. Ce sont les pays de tradition catholique qui présentent la plus forte inégalité. La tendance s'est nettement aggravée en cinq ans puisque dans la CEE les femmes représentaient 45 % des chômeurs en 1983 et 53 % en 1988.

Source: Labor Department.

ESPAGNE 30
ITALIE 21,3
BELGIQUE 17,5
FRANCE 14,1
GRANDE-BRETAGNE 7,8
14,7
8,2   6,5   7,9   8,6

L'Expansion, 30 mars/12 avril 1989

12 La publicité et les média

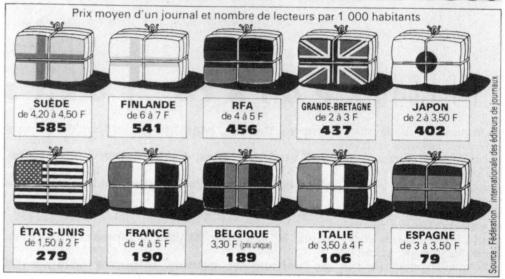

LES LECTEURS AU RENDEZ-VOUS

Prix moyen d'un journal et nombre de lecteurs par 1 000 habitants

SUÈDE	FINLANDE	RFA	GRANDE-BRETAGNE	JAPON
de 4,20 à 4,50 F	de 6 à 7 F	de 4 à 5 F	de 2 à 3 F	de 2 à 3,50 F
585	**541**	**456**	**437**	**402**

ÉTATS-UNIS	FRANCE	BELGIQUE	ITALIE	ESPAGNE
de 1,50 à 2 F	de 4 à 5 F	3,30 F (prix unique)	de 3,50 à 4 F	de 3 à 3,50 F
279	**190**	**189**	**106**	**79**

Source : Fédération internationale des éditeurs de journaux

L'Express, 17.6.88

Monsieur Cochaud, a French colleague, gives Mr Sanderson some advice on advertising in the French media.

Listen to the recording and then do the exercises in Section A.

Vocabulaire

réunion (f)	meeting
consacrer	to allocate
quotidien (m)	daily (newspaper)
au même titre	in the same way
tirage (m)	circulation (of newspaper)
hebdomadaire	weekly
mensuel	monthly
à l'échelon national	nationwide
jouir de	to enjoy
diffusion (f)	distribution
chaîne (f) (de télévision)	TV channel
crypté	scrambled (i.e., broadcast in code)
téléspectateur (m)	viewer
avoir l'embarras du choix	to be spoilt for choice
déréglementation (f)	deregulation
coupure (f)	cut, break
spot publicitaire (m)	commercial break
émission (f)	programme
périphérique	peripheral

auditeur (m) — *listener*
gamme (f) FM — *FM range*
minute-poste (f) — *minute of advertising time*
se renseigner — *to enquire/seek information*
plaquette (f) — *publicity folder, pack*
prospectus (m); dépliant (m) — *leaflet*
affiche (f) — *poster*

For additional information, turn to the *Petit Guide des Sigles*.

1 See bar-chart below for circulation figures.

2 The three largest provincial dailies are *Ouest-France* (Rennes) 646,000; *Le Progrès* (Lyon) 397,000; *La Voix du Nord* (Lille) 378,000.

3 See adjacent bar-chart (Les 10 rouleaux compresseurs).

4 A2 gets 67% of its funding from advertising and can advertise for twelve minutes in any hour. FR3 can only advertise for ten minutes in any one hour. TF1, La 5 and M6 are entirely advertising funded and may advertise for between ten and twelve minutes in any one hour. Canal + is a 92% subscribed and 8% advertising funded channel. It may only show advertisements during its four hours of unscrambled transmission. (Source: 'Communications Studies & Planning Ltd.' 1989 figures.)

5 The launch of France's first TV satellite TDF1 is scheduled for 1990 and will broadcast five channels. However, only 5% of the population has cable in France, the second lowest penetration in Europe after Great Britain.

6 State radio in France is represented by *Radio France* which includes five main stations: *France Inter; France Musique; France Culture; France Informations Europe; Radio France Internationale* plus some 47 local radio stations.

7 *RTL (Radio Télévision Luxembourg); RMC (Radio Monté Carlo);* Europe 1 (*Sarre*).

8 The first Mitterrand government authorised the setting up of independent radio stations, approximately half of which carry brand name advertising. Their number (approx. 1400 in 1989 as against 300 in 1982!) and popularity are growing, particularly amongst young people. Some of the better known are: *NRJ; Radio FM; Radio Nostalgie; Skyrock; Fun FM; Kiss FM; Europe 2; Pacifique FM.*

9 Advertising costs (1988 figures):
   TV: Channel 5 advertising slots cost 60,000F to 90,000F (four times a day); on public channels 200,000F to 240,000F for a thirty second slot.
   Radio: average price of publicity message = 15,00F (RTL); 12,740F (Europe 1); 5,940F (RMC). [Source: Chambre de Commerce et d'Industrie de Paris, Le Français Commercial, Bulletin de Liaison, Printemps 1988]

10 The four main advertising agencies in France in 1989 were Publicis; Roux Sequela Cayzac; Havas Conseil; Lintas.

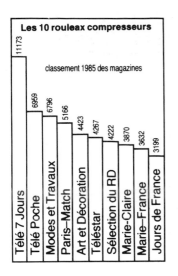

Les 10 rouleaux compresseurs

classement 1985 des magazines

Magazine	Value
Télé 7 Jours	11173
Télé Poche	6959
Modes et Travaux	6796
Paris-Match	5166
Art et Décoration	4423
Téléstar	4267
Sélection du RD	4222
Marie-Claire	3870
Marie-France	3632
Jours de France	3199

Entre 1974 et 1985, le nombre des lecteurs de la presse quotidienne a diminué de plus d'un quart. La chute est surtout sensible à Paris, où seulement 36% des habitants (de plus 15 ans) lisent un quotidien national contre 56% en province pour les quotidiens régionaux. Le seul à ne pas être concerné par cette érosion est *Libération*. *Libé* (pour ses intimes) a inauguré un nouveau genre journalistique, moderne, irrespectueux et bien informé. Un regard sans complaisance sur la société telle qu'elle est.

Du tirage dans la diffusion

Nombre de lecteurs
des quotidiens nationaux
(en milliers).

■ 1974
□ 1985

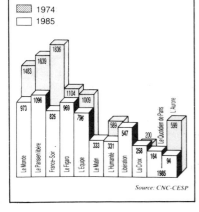

Source: CNC-CESP

section a   *Qu'avez-vous compris?*

1 Answer in French

a Qu'est-ce qu'il a été décidé à la dernière réunion du Conseil d'Administration?

b Pourquoi Mr Sanderson a-t-il invité Monsieur Cochaud?

c Quelle est la différence entre la presse en France et la presse en Angleterre?

d Expliquez les termes *hebdomadaire* et *mensuel*.

e Quelle est la différence la plus importante entre la télévision française et la télévision britannique en ce qui concerne la publicité?

f Est-ce que les spots de publicité sont permis au milieu des émissions à la télévision française?

g Pourquoi la radio en France serait-elle intéressante du point de vue publicitaire?

h Quels autres moyens de publicité y a-t-il à part la presse, la télévision et la radio?

i Quelle suggestion Monsieur Cochaud fait-il à Mr Sanderson à la fin de l'interview?

j Que va faire Mr Sanderson en réponse à cette suggestion?

2 Translate

a Send him in!

b You know more about French matters than I do.

c What would you like us to talk about first?

d Which one (m) would you advise us to choose?

e Their daily circulation is less than half a million.

f In order to reach the whole population.

g You would have to put in an ad..

h Eighteen provincial dailies.

i A nationwide publicity campaign.

j These magazines enjoy a wide circulation.

k All channels, both state-owned and independent, carry advertising.

l There's also a scrambled channel.

m Viewers in the year 2000 will be spoilt for choice.

n Deregulation is likely to bring in many other communication channels.

o There are a large number of independent stations broadcasting on FM.

p Before you decide anything.

q I'll take the necessary steps.

Dialogue

Secrétaire	Monsieur Cochaud est arrivé monsieur.
Sanderson	Merci, *qu'il entre!* . . Bonjour mon cher Roger. Comme vous savez, à la dernière réunion du Conseil d'Administration il a été décidé de consacrer une somme importante à la promotion de nos produits sur le marché français. Alors, puisque *vous êtes plus au courant que moi des affaires françaises,* je vous ai invité pour que nous parlions un peu de la publicité en France.
Cochaud	Bien volontiers. *De quoi aimeriez-vous qu'on parle en premier?*
Sanderson	Parlons de la presse d'abord si vous le voulez bien. Supposez que nous fassions de la publicité dans un quotidien? *Lequel nous conseilleriez-vous de choisir?*
Cochaud	En France, voyez-vous, il n'y a pas de presse nationale au même titre qu'en Angleterre. Même *Le Monde* et *Le Figaro* qui ont une réputation mondiale et qui pourraient passer pour des journaux nationaux sont finalement des journaux parisiens et *leur tirage* [1] *est inférieur à un million par jour. Pour que vous puissiez toucher l'ensemble de la population, il faudrait que vous fassiez paraître une annonce* dans au moins *dix-huit quotidiens de province.*[2]
Sanderson	Et les magazines hebdomadaires ou mensuels?
Cochaud	En effet, pour *une campagne de publicité à l'échelon national*, il vaudrait mieux s'adresser à un nombre de magazines sur le marché qu'il s'agisse de magazines d'actualité générale, économiques ou féminins.[3]
Sanderson	Oui, je sais que *ces magazines jouissent d'une grande diffusion.*
Cochaud	C'est exact. Maintenant en ce qui concerne la télévision, il existe une grande différence entre la France et la Grande Bretagne. C'est que *toutes les chaînes, qu'elles soient publiques ou privées font de la publicité*, ce qui constitue pour elles un important revenu[4]. Il y a deux chaînes publiques, c'est à dire qui appartiennent à l'état; A2 et FR3. Une chaîne privée TF1 couvre toute la France alors que les deux autres chaînes privées la 5 et M6 n'émettent qu'en région parisienne et dans certaines grandes villes. *Il existe aussi une chaîne cryptée*, Canal +.
Sanderson	Oh là là . . . et tout cela sans compter la télévision par satellite[5]. *Les téléspectateurs de l'an 2000 auront vraiment l'embarras du choix!*
Cochaud	Effectivement. *La déréglementation risque de créer de nombreux autres canaux de communication!* Pour l'instant sur les deux chaînes d'état on ne permet pas de coupure d'émission pour la publicité; les spots publicitaires sont entre les émissions. En ce qui concerne TF1 il y a une coupure au maximum au cours de l'émission, mais, en ce qui concerne les autres chaînes, les spots de publicité interrompent souvent les programmes comme sur la chaîne commerciale britannique.
Sanderson	Est-ce que la radio commerciale existe?
Cochaud	Bien sûr. Des quatre principales stations – France Inter,[6] Europe 1, RTL et Radio Monté Carlo[7], trois sont commerciales, et bien qu'elles soient périphériques, elles sont écoutées par l'ensemble de la population française. Leurs programmes sont destinés aux auditeurs français, et sont réalisés à Paris. En plus, depuis 1982 *il existe de nombreuses stations libres*[8] *qui émettent sur la gamme FM.* Certaines sont locales et d'autres couvrent tout le territoire via satellite.
Sanderson	Auriez-vous une idée du prix de la minute poste[9] des différentes stations commerciales?
Cochaud	Non, il faudrait que je me renseigne sur les derniers tarifs et je vous les communiquerai. Mais de toute façon, *avant que vous décidiez quoi que ce soit*, il faudrait que je vous mette en contact avec une agence de publicité[10] en France, car une agence pourrait vous conseiller beaucoup mieux que moi sur les prix et les autres moyens de publicité comme les imprimés (plaquettes, prospectus, dépliants, catalogues, brochures, affiches, etc.) et les différents salons, foires commerciales et expositions qui existent.

Sanderson   Bon, entendu. J'attends que vous m'envoyiez l'adresse d'une bonne agence de publicité et ensuite je ferai les démarches nécessaires. Je vous remercie de vos conseils.

section b   *Exercises*

A *Subjunctive after certain conjunctions (i)*

Link the following pairs using one of the following conjunctions:

bien que; pour que; afin que; avant que; jusqu'à ce que; pourvu que; sans que; soit que; à condition que; supposé que; non que; à moins que.

Do not use the same conjunction twice.

Exemple:	Mr Sanderson téléphone à Monsieur Cochaud.	Il vient lui parler de la publicité en France.

Réponse: Mr Sanderson téléphone à M. Cochaud *pour qu'il vienne* lui parler de la publicité en France.

Now continue:

a	Nous ferons paraître une annonce dans un quotidien.	Vous avez les fonds nécessaires.
b	Il ne faut pas décider quoi que ce soit.	Vous avez consulté une agence de publicité.
c	Nous allons rester en France.	Nous parlons couramment le français.
d	Nous emprunterons le reste de l'argent.	Vous voyez une autre solution.
e	Il y a des spots publicitaires sur toutes les chaînes.	Il y en a plus sur les chaînes privées.

B *Subjunctive after certain conjunctions (ii)*

Complete the following sentences:

Exemple: Mme Legrand est partie *sans que* . . .
Response: Mme Legrand est partie *sans qu'elle ait visité* l'usine.

Now continue:

a Je vous prête la somme que vous voulez *à condition que* . . .
b Ils ont décidé de ne pas faire de la publicité *bien que* . . .
c Elle a suivi des cours de sténo-dactylo *afin que* . . .
d Je vous ferai voir le reste de l'usine *à moins que* . . .
e Je vais suivre des cours de français *jusqu'à ce que* . . .

C Subjunctive to express 3rd person imperative

Exemple: M. Leroy voudrait venir vous voir . . .
Réponse: Mais *qu'il vienne* me voir!

Now continue:

a Mme Legrand voudrait vous téléphoner demain . . .
b Elle voudrait faire un stage en Angleterre . . .
c Il voudrait prendre une assurance . . .
d Notre client ne voudrait pas se décider tout de suite . . .
e Nos amis ne voudraient pas aller passer leurs vacances en Italie . . .

D Subjunctive with negative or indefinite antecedent

Exemple: Personne ne le connaît . . .
Réponse: Mais vous êtes sûr qu'il n'y a personne qui le *connaisse*?

Now continue:

a Aucun employé ne veut accepter ce genre de travail . . .
b Rien ne fait effet dans des cas comme ça . . .
c Aucune garantie n'est valable plus de deux ans . . .
d Personne ne peut vous aider . . .

E Consecutive interpreting

Listen to the recording all the way through. You will then hear it again in sections, with a pause after each one for you to record a French translation. At the end of each pause you will hear a check translation.

The check translation will contain the following vocabulary and construction:

lancer un produit sur le marché	en fait
consacrer	s'occuper de leurs problèmes
peu probable	le pays en question

LES VILLES ET LES RÉSEAUX CÂBLÉS A LA FIN DE 1988

Région parisienne
Nombre de réseaux
◖ 10 ○ 3
◉ 14 ● 10

Nord-Pas-de-Calais
Nombre de réseaux
◖ 3 ○ 9
◉ 2 ● 20

Dieppe
Amiens St-Quentin Charleville- Hayange
Creil Mézières Joeuf
Le Havre Reims Metz Montigny-lès-Metz
Caen Rouen Bar-le-Duc Nancy
Brest Evreux Strasbourg
Kaysersberg
Rennes Laval Le Mans Troyes Epinal Colmar
Ste-Marie- Munster Mulhouse
Orléans aux-Mines Belfort
Nantes Angers Montbéliard
Tours Dijon Besançon
Poitiers Bourges Chalon-
sur-Saône
Niort Villefranche- Annecy
sur-Saône
Limoges Clermont- Roanne Lyon Villeurbanne
Ferrand Vénissieux Tignes
Angoulême Issoire Chambéry
Bordeaux St-Etienne Grenoble Vienne/
Valence/ Nord Isère
Villeréal Romans/
Montélimar Fréjus/
Tonneins Milan Mandelieu Menton
Bayonne/ Boé Albi Avignon St-Raphaël
Anglet/ Nimes Aix. Nice
Biarritz Toulouse Montpellier Etang Antibes
Biarritz Blagnac Castres de Berre Aubagne Cannes
Pau Tarbes Sète Marseille
Carcassonne Béziers Toulon Bastia
Perpignan La Valette
Ponte-Leccia
Ghisonaccia

◖ Réseaux en service, construits par France-Télécom

◉ Réseaux en projet ou en construction, sous la responsabilité de France - Télécom

○ Réseaux en construction ou en projet sous la responsabilité d'un opérateur privé

● Réseaux à l' étude

Source: Mission câble

Adapted from *L'Express*, 28.10.88

Rôle-play

You have been asked by the marketing manager to brief him on the French media, with a view to mounting a publicity campaign for your company's products on the French market.

■ Merci d'être venu(e). J'aimerais vous poser quelques questions sur la publicité et les média en France, si vous le voulez bien . . .

■ (So it has been decided to allocate money to promote your products on the French market?)

■ Oui, la décision a été prise à la dernière réunion du conseil d'administration lorsque vous étiez en France. Si nous faisions de la publicité dans un grand quotidien français par exemple, quel journal nous conseilleriez-vous de choisir?

■ (Point out that a national press as in Britain doesn't really exist in France.)

■ Mais je croyais que *Le Figaro* et *Le Monde* étaient lus partout en France?

■ (True, but their circulation is small. He really needs to advertise in the provincial dailies, but there are about eighteen in all!)

■ Ça m'étonnerait qu'on puisse s'offrir le luxe d'une publicité dans une vingtaine de quotidiens de province! Mais il doit y avoir des magazines qui s'adressent à l'ensemble de la population . . . ?

■ (Indeed, both weeklies and monthlies. With so many on the market, one is really spoilt for choice. Say you'll *draw up*[1] a list of popular news and women's magazines for him *together with*[2] their circulation figures.)

■ Merci, ça me rendrait service! Donc il y a plusieurs possibilités là. Et je suppose que la télévision en France a des chaînes commerciales comme chez nous?

■ (All channels except two are commercial, but all channels, be they state or privately owned carry advertising; although A2 and FR3 don't allow advertising breaks in the middle of programmes for the moment.)

■ Y a-t-il une radio commerciale?

■ (Say there are four main radio stations broadcasting over the whole of France. Give their names, pointing out that the three peripheral stations are commercial. However, in addition, there are a large number of local radio stations broadcasting on FM, many of which carry brand-name advertising.)

■ A qui faudrait-il que je m'adresse pour obtenir les tarifs de publicité à la radio et dans les journaux?

■ (You will find out the local rates and let him know, but suggest he does nothing before you put him in touch with a good French advertising agency.)

■ D'accord. J'attends que vous me mettiez en contact avec une agence. En attendant, je vous remercie d'avoir bien voulu parler de tous ces problèmes avec moi.

1 dresser une liste
2 ainsi que

Grammar

Other uses of the Subjunctive:[1]

1 *After the following conjunctions*

bien que \
quoique ∫ although

pour que \
afin que ∫ in order that

supposé que – supposing that
avant que – before
sans que – without
à moins que[2] – unless

à condition que – on condition that
supposé que – supposing that

que . . . \
que . . . ∫ whether . . . or whether

jusqu'à ce que – until
pourvu que – provided that
non que – not that
de peur que[2] – for fear that
de crainte que[2]

M. Sanderson a invité Mme Legrand **pour qu'elle vienne** visiter l'usine.
Il a attendu jusqu'à ce qu'ils **aient fini** de manger.

2 The subjunctive occurs in clauses dependent on a negative or indefinite antecedent

*Il n'y a personne qui **sache** parler français. Connaissez – vous quelqu'un qui **puisse** nous conseiller?*

3 To express a 3rd person imperative

a ***Vive** le roi!*
*Honi **soit** qui mal y pense!*

b With *que*
*Qu'il **vienne** me voir!* – Let him come and see me!
*Qu'elle **attende** un instant!* – Have her wait a minute!

Notes 1 For a detailed explanation of the uses of the subjunctive see *Advanced French Course* by Whitmarsh and Jukes (Longman) 1970.
2 Requires *ne* before the verb:
*Il devrait être là, **à moins qu'il n'ait été retardé**.*

Reading & Reacting

La pub en fête!

La télévision a donc permis à la publicité de battre ses records de croissance. Une première fois, en 1969, quand la pub a été autorisée à paraître sur le petit écran. De nouveau, en 1987, année durant laquelle la croissance des dépenses publicitaires en France a été de 16%, portant le total de ces investissements à 52 milliards de francs, soit 7 milliards de plus qu'en 1986.

Encore une fois, la preuve est faite que l'offre crée la demande. Deux supports ont régressé en 1987 face à cette percée de la télévision: la radio et le cinéma. Malheureusement, ce dernier perd son audience, et ceci suffit à expliquer cela. En revanche, la presse n'a pas reculé en valeur absolue, même si elle a perdu 1 point en valeur relative: elle recueille encore 57% des dépenses publicitaires, contre 22% pour la télévision.

Un professionnel de la télé m'explique que cette manne ne peut cependant pas suffire pour financer cinq chaînes généralistes. La France se distingue de tous les autres grands pays par le fait que l'investissement publicitaire y est, pour l'instant, moins important qu'ailleurs alors que les chaînes généralistes y sont en plus grand nombre. Cet encombrement provoque l'explosion du prix des programmes susceptibles d'attirer la plus forte audience: films, séries de fiction, variétés, retransmissions de certaines manifestations sportives (essentiellement des matchs de football).

Le «nouveau paysage télévisuel», comme on dit, présente de nombreuses faiblesses; mais personne ne parle de la plus importante: il n'est pas viable. Car la progression de la publicité à la télévision ne se poursuivra pas à son rythme actuel. Déjà, certains annonceurs, faisant leurs comptes, corrigent le tir. Le président d'une société leader dans son secteur s'étonne devant nous d'avoir vu sur le petit écran une publicité pour l'un de ses produits haut de gamme: inutile de prendre une lance d'incendie lorsqu'on veut arroser une fleur!

La télévision privée a incontestablement accéléré le développement de la publicité en France, mais pas au point de garantir la survie à toutes les chaînes!

Recettes publicitaires de TF 1
(en milliards de francs, net)

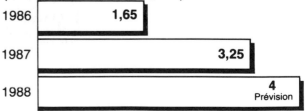

1986	1,65
1987	3,25
1988	4 Prévision

Summarise the above article in English using the following headings as a guide:
a growth of TV advertising in recent years
b position of the various mass media in respect of advertising revenues
c problems facing TV advertising in France and the consequences
d future of TV advertising in France.

B *Dépenses et recettes publicitaires en France*

Evolution des recettes publicitaires des grands médias (1) Pourcentage d'évolution annuelle par rapport à l'année précédente			
	1986 %	1987 %	1988 %
Presse (2)	+13	+14	+13
quotidiens de Paris	+21,5	+21,5	+17,5
quotidiens régionaux	+ 8	+12	+ 9,5
magazines:	+10,5	+ 9,5	+10
spécialisés	+12	+13,5	+16
gratuits	+23,5	+21	+17
Télévision	+27	+36	+27
Publicité extérieure (3)	+12,5	+10	+11
Radio	+ 6	+ 1	+11,5
Cinéma	+ 3	−20	− 6
Total grand médias	+14,5	+16	+15,5

(1) Les recettes publicitaires s'entendent hors taxes, dégressifs déduits, mais y compris les commissions d'agences et de régie s'il y a lieu.
(2) Petites annonces et publicité locale comprises
(3) Affichage sous toutes ses formes

Dépenses publicitaires et promotionnelles en France				
Années	Dépenses publicitaires milliards de francs courants	Evolution annuelle des dépenses publicitaires %	Evolution de l'indice des prix de détail %	Dépenses publicitaires par tête francs courants
1984	36,5	+13	+ 7,4	666
1985	40	+ 9,5	+ 5,8	726
1986	44,8	+12	+ 2,7	810
1987	52	+16	+ 3,1	935
1988*	58,3	+12	+ 2,7	1 042

Source. IREP: Le Marché Publicitaire Français 1988–89
*estimations sujettes à légères révisions

Répartition des recettes publicitaires dans les grands Médias (1)	1986 %	1987 %	1988 %
Presse	57,9	56,9	55,6
Télévision	19,1	22,4	24,6
Publicité extérieure (2)	12,9	12,2	11,7
Radio	8,5	7,4	7,2
Cinéma	1,6	1,1	0,9
Total	100	100	100

(1) les recettes publicitaires s'entendent hors taxes, dégressifs déduits, mais y compris les commissions d'agences et de régie s'il y a lieu
(2) affichage sous toutes ses formes

Le Journal des Médias, 27.2.89

a What does an analysis of the above three tables reveal about:

   (i) advertising in the written press
   (ii) TV advertising
  (iii) radio advertising
  (iv) share of advertising revenue between the various media
   (v) recent trends in expenditure on advertising.

b Given a continuation of current trends, what are the likely figures for 1989 in respect of:

   (i) percentage share of advertising revenue in the various media
   (ii) advertising expenditure in francs per head
  (iii) the cinema's revenue from advertising compared to 1988.

13 Affaire conclue

At the end of her visit, Madame Legrand discusses prices* and delivery times* of the new models with Mr Sanderson.

Listen to the recording and then answer the questions in Section A.

Vocabulaire

entretien (m)	*conversation*
survenir	*to arise 'crop up'*
obtenir gain de cause	*to get satisfaction*
soulagé	*relieved*
faire activer les choses	*to get things moving*
commande (f) d'essai	*trial order*
conçu (p.p. concevoir)	*designed*
solide	*strong*
fiable	*reliable*
convenir (de)	*to admit*
bon (m) de commande	*order form*
cours (m)	*(exchange) rate;* (also: taux d'échange (m))
aperçu (m)	*rough/general idea*
TVA* (f)	*Taxe à la valeur ajoutée (VAT)*
abordable	*reasonable*
ne rien y pouvoir	*to be unable to do anything about it*
traiter affaire	*to do business*
accueil (m)	*welcome*

*See Chapter 10 for details of prices and sales terms

section a Qu'avez vous compris?

1 Answer in French

a Pourquoi Madame Legrand a–t–elle eu un long entretien avec le chef du service après–vente?

b De quels modèles s'agissait–il?

c Que propose Mr Sanderson au cas où Mme Legrand aurait d'autres ennuis?

d Pour quelles raisons les produits haut de gamme ont–ils eu beaucoup de succès, et sur quel marché?

e Que comprend le prix unitaire?

f Quel pourcentage faut–il ajouter pour avoir le prix franco domicile?

g Pourquoi les exportateurs britanniques craignent–ils une livre forte?

h Que dit Mr Sanderson à propos du prix du produit haut de gamme?

i Madame Legrand, que faut–il qu'elle fasse pour bénéficier de l'escompte?

j Quels sont les délais moyens de livraison?

2 Translate

a We were able to sort out some problems.

b They were the earlier models IGY78 and EJW97.

c Did you get any satisfaction?

d Everything's turned out for the best.

e Don't hesitate to let me know about it.

f I could perhaps speed up matters.

g These top of the range products have been very successful.

h The exchange rate for the pound can vary.

i The pound is quite strong.

j I like your suggestion.

k Thirty days/end of the month.

l You then get a discount of 2½%.

m In that case you are not entitled to the discount.

n We can't do anything about it.

o In the next few days.

p Thank you for having made me feel so welcome.

Dialogue

Sanderson	Vous avez pu voir le chef du service après-vente?
Legrand	Oui, je viens d'avoir un long entretien avec lui. *Nous avons pu régler certains problèmes* survenus récemment concernant la dernière livraison; *il s'agissait des anciens modèles IGY78 et EJW97.*
Sanderson	*Vous avez obtenu gain de cause?*
Legrand	Oui, tout est réglé.
Sanderson	Bien, je suis soulagé de savoir que *tout s'est arrangé pour le mieux.* Dans le cas éventuel où vous auriez d'autres ennuis, *n'hésitez pas à m'en faire part. Je pourrais peut-être faire activer les choses.*
Legrand	Entendu, je vous en serais très reconnaissante, et je vous en remercie d'avance. Bon, je suis prête à vous passer une commande d'essai en ce qui concerne vos deux nouveaux modèles.
Sanderson	Je crois que vous ne le regretterez pas. *Ces produits haut de gamme ont eu beaucoup de succès* sur le marché intérieur car ils sont bien conçus, solides, fiables et bien présentés.
Legrand	Oui, j'en conviens. Je vais commencer par remplir ce bon de commande provisoire. Votre liste de prix donne le prix unitaire, sortie d'usine, n'est-ce pas. Les autres frais ne sont pas compris?
Sanderson	Non, il faut y ajouter les frais de transport routiers et maritimes et le coût de l'assurance.
Legrand	Ils s'élèvent approximativement à combien?
Sanderson	Il faut compter environ 8% de plus pour avoir le prix franco domicile.
Legrand	Le prix de l'emballage, lui, est inclus?
Sanderson	Oui, bien sûr, et l'emballage est très bien conçu; parfait pour de longs voyages.
Legrand	*Le cours de la livre peut varier* bien sûr. Il est très élevé en ce moment, n'est-ce pas?
Sanderson	Oui, malheureusement *la livre sterling se porte assez bien*, et une livre forte, ce n'est pas une bonne chose pour nos exportations. Mais prenons la moyenne des cours pour cette première moitié de l'année pour vous donner un aperçu du coût.
Legrand	Bien, je calcule rapidement . . . hum . . . cela revient à un prix plutôt élevé. Ajoutons à cela la TVA et ça fait un produit assez coûteux!
Sanderson	Vous trouvez? Il est abordable pour un article haut de gamme de cette qualité-là. Mais nous pourrions, peut-être, nous entendre sur un taux d'échange fixe qui serait à votre avantage pour cette première commande.
Legrand	*Votre proposition me plaît;* j'apprécierais vraiment ce geste de votre part . . . Vos délais de paiement sont toujours les mêmes?
Sanderson	Ils sont de *30 jours fin de mois* et *vous bénéficiez alors d'un escompte de 2,5%,* sinon 90 jours fin de mois mais *dans ce cas-là vous n'avez plus droit à l'escompte* . . .
Legrand	Et en ce qui concerne vos délais de livraison, il faut compter 15 jours je pense?
Sanderson	Oui, une quinzaine de jours quand tout se passe bien, mais disons qu' ils varient en moyenne entre deux et trois semaines. Heureusement, nous traversons une période où il y a peu de grèves dans l'industrie des produits manufacturés; c'est surtout dans les services que les conflits sociaux ont lieu.
Legrand	Et cela est indépendant de votre volonté!
Sanderson	Exactement. *Nous n'y pouvons rien!* Donc je vous ferai parvenir notre offre finale *dans les jours qui viennent.*
Legrand	Entendu, j'ai hâte de la recevoir.
Sanderson	Je suis très heureux que nous ayons pu traiter affaire.
Legrand	Moi de même.
Sanderson	Il ne me reste plus qu'à vous souhaiter bon retour.
Legrand	Je vous en remercie, et *merci* aussi *pour l'excellent accueil que vous m'avez réservé.*
Sanderson	Je vous en prie. Au plaisir de vous revoir chère Madame.

section b Exercises

A

Ref. no.	Price	Not included in price	Settlement terms	Delivery time
XRS75	335F	– VAT – insurance	30 days/ end of month	2–3 wks

From the recorded information complete the remaining boxes above.

B Ad-hoc liaison interpreting

You are accompanying your chief buyer, Mr Cooper, on a visit to one of your French suppliers. He speaks no French and Monsieur Masson, their sales manager has no English. Act as two-way interpreter.

Cooper I would like you to show me your new top-of-the-range products before I fill out the order form.

Masson Volontiers. Alors ceux-ci sont les derniers sortis, et je crois qu'ils plairont à votre clientèle. Vous voyez à quel point ils sont élégants mais solides en même temps.

Cooper They look quite strong, I must admit. However, let's hope they are more reliable than the earlier models!

Masson Vous voulez parler de quels modèles?

Cooper They were your SY71 and JT93 models which we bought two years ago.

Masson Ah, oui. Je m'en souviens. On a eu effectivement quelques ennuis avec ces deux modèles-là, surtout tout au début, juste après leur lancement sur le marché intérieur. Mais on a réussi à régler tout ça par la suite.

Cooper I remember we had problems getting any satisfaction from your after-sales department at the time. But it all turned out alright in the end.

Masson Tant mieux. Je suis soulagé de vous l'entendre dire! Donc, si vous nous passiez commande, de quelles quantités s'agirait-il?

Cooper It would be for fifty models altogether. Thirty top-of-the-range, and twenty bottom-of-the-range, providing we can agree on a price. What discount would you give for those quantities?

Masson Normalement 5% sur le prix global hors taxe, mais peut-être un peu plus si vous payiez comptant . . .

Cooper We never pay cash! British suppliers normally give us between 60 and 65 days from the delivery date, and with at least 3% off!

Masson Je suis sûr que nous pouvons traiter affaire. Mais avant de vous faire une offre finale, il faudrait s'entendre sur nos conditions de vente et nos délais de livraison.

Cooper If I'm not mistaken your prices are ex-works and include packaging and VAT, but we must add on about 8% for insurance and transport charges. That's right, isn't it?

Masson C'est ça, et nos délais de livraison sont de quinze jours en moyenne. Ecoutez, laissez-moi m'en occuper et je vous enverrai une offre définitive dans les jours qui viennent.

Cooper Thank you. I would be very grateful if you could speed things up a little, as we would like to get them onto the market as soon as possible.

Masson Ne vous faites pas de souci! Vous aurez notre offre d'ici une semaine, et les prix cités seront valables jusqu'en avril.

Cooper Fine, I'll look forward to receiving it.

Rôle-play

Play the rôle of Mr Sanderson in his conversation with Mme Legrand after her visit to the factory:

Sanderson (Ask if she has been able to see the After Sales Manager?)

Legrand Oui, je viens de le quitter à l'instant.

Sanderson (Did she get what she wanted?)

Legrand Oui, tout est réglé.

Sanderson (You are relieved to hear it. If she has any further problems she is to keep you informed and you'll try to speed up matters.)

Legrand Je vous en remercie d'avance. Je suis prête à vous passer une première commande d'essai. Les prix indiqués sur votre liste sont les prix unitaires sortie d'usine, n'est-ce pas?

Sanderson (Yes, transport and insurance costs must be added.)

Legrand Ils s'élèvent à combien approximativement?

Sanderson (She should reckon on an extra 8%.)

Legrand	Est-ce que l'emballage est inclus?
Sanderson	(Of course, and it's designed for long journeys.)
Legrand	En ce qui concerne le taux d'échange, quel est le cours de la livre actuellement? Il est assez élevé, si je ne me trompe pas . . .
Sanderson	(Yes, unfortunately the pound is very strong at the moment, which is not good for your exports.)
Legrand	Laissez-moi calculer le prix de revient. Avec la TVA ça fait le produit cher.
Sanderson	(It's reasonable considering the quality of the product. But perhaps you could agree on a fixed rate for the pound which would be to her advantage.)
Legrand	J'apprécierais beaucoup ce geste. C'est une excellente proposition! Quels sont vos délais de paiement?
Sanderson	(30 days/end of the month, and that would entitle her to a 2,5% discount.)
Legrand	Nos fournisseurs français nous accordent 90 jours/fin de mois et nous bénéficions toujours d'un escompte de 2,5%!
Sanderson	(You'll see what you can do and send her your final offer in the next few days.)
Legrand	Je vous en remercie.
Sanderson	(Say you are pleased you have been able to do business again.)
Legrand	Mais le plaisir est réciproque. Merci de votre accueil et de votre hospitalité. Je viens de faire un excellent séjour!
Sanderson	(You're delighted to hear it. Wish her a safe journey back and say you look forward to seeing her again.)

Reading & Reacting

A

SOS industrie

Notre industrie va mal. Nos échanges de produits manufacturés avec l'étranger, longtemps excédentaires, ont accusé l'an dernier un déficit de 67 milliards de francs, hors matériel militaire. Devons-nous nous résigner à cette dégradation? La France est-elle décidément entrée dans l'ère «post industrielle»? Jean-Louis Levet, enseignant au Cnam[1] et exhaut fonctionnaire au ministère de l'Industrie, prend vigoureusement le contre-pied de ces idées à la mode (1). Il analyse sans complaisance la «coalition des blocages»: un système éducatif qui semble agencé pour que l'usine soit considérée comme le dépotoir des cancres; une hiérarchie des rémunérations qui pénalise les ouvriers; des patrons prompts à investir dans la «sphère financière», et myopes aux évolutions des marchés; des dirigeants recrutés sur des critères beaucoup trop rigides et étroits; des PMI souvent isolées, manquant de moyens pour anticiper le changement . . .

Un livre à lire pour comprendre les enjeux que cachent les mesquines querelles du «dénoyautage».

M.C.●

(1) Jean-Louis Levet, «Une France sans usines?», Economica, 190 pages, 150 francs.

L'Expansion, 2/15 mars 1989

1 Cnam (Conservatoire Nationale des Arts et Métiers)
2 PMI (Petites et Moyennes Industries)

Answer in English

a What does the figure of 67 billion francs represent?
b Who is Jean–Louis Levet and what theory does he not agree with?
c What reasons does he give for France's relatively poor industrial performance in his book «*Une France sans usines?*»?

B La Fiscalité en Europe

COMMENT PAIENT LES AUTRES		
	Barème	**Conditions réelles**
BELGIQUE-LUXEMBOURG	30 jours fin de mois date d'expédition	55-60 jours date de facture
FRANCE	90 jours fin de mois	En moyenne 115 jours
ITALIE	30 jours fin de mois date de facture	90 jours fin de mois de livraison
JAPON	Producteur à maison de commerce: paiement cash avec escompte de 1,5% Société de commerce à clientèle: 90 jours fin de mois de livraison avec agios de 90 jours	Possibilité de 180 jours pour clients privilégiés
PAYS-BAS	Paiement au plus tard le 15 du mois suivant celui de la livraison, départ usine	50 jours date de facture
RFA	Paiement comptant, sans escompte, jusqu'au 15 du mois suivant celui de la livraison départ usine	En moyenne 15 jours fin de mois de livraison

COMMENT PAIENT LES AUTRES		
	Barème	**Conditions réelles**
ROYAUME-UNI	30 jours fin de mois date d'expédition	En moyenne 60 à 65 jours date de livraison
USA		30–60 jours date d'arrivée, soit 45 jours en moyenne

L'Expansion, 2/15 mars 1989

LA FISCALITE EN EUROPE

Prélèvements obligatoires	en pourcentage du P.I.B.	
	1975	**1986**
FRANCE	37,4	44,2
R.F.A.	36	37,5
ROYAUME-UNI	35,7	39
ITALIE	29	36,2
PAYS-BAS	43,6	45,5

Source: OCDE 1986

PONDERATION DES PRELEVEMENTS OBLIGATOIRES
(EN%)

P.O. Pays	Cotisations sociales	Prélèvements fiscaux
FRANCE	42,7	57,3
R.F.A.	37,2	62,8
G.B.	17,9	82,1
ITALIE	34,3	65,7
PAYS-BAS	42,5	57,5

Source: OCDE 1986 (chiffres 1986)

L'IMPOT SUR LES SOCIETES

	Bénéfices distribués	Bénéfices mis en réserve
FRANCE	42%	39% (1)
R.F.A.	36%	56%
G.B.	35%	35%
	(ou 29% si le bénéfice est inférieur à 100 000 livres)	(Idem)

(**1**) à compter du 1er janvier 1989

CHARGES DES ENTREPRISES ET DES MENAGES (EN % DU P.I.B)

	1980			1984		
	Ménages	Entreprises	Total	Ménages	Entreprises	Total
FRANCE	25,5	17	42,5	27,5	17,9	45,4
R.F.A.	27	11	38	26,8	10,9	37,7
G.B.	25,2	10,1	35,3	27,5	11	38,5

Source: OCDE 1986

LA TVA EN EUROPE

Taux Pays	Super réduit	Réduit	Normal	Majoré	Super majoré
FRANCE	5,5	7	18,6	33,3/38	/
ITALIE	2	9	18	/	38
R.F.A.	/	7	14	/	/
G.B.	/	0	15	/	/
PAYS-BAS	/	5	19	/	/
BELGIQUE	6	17	19	25 et 33	/

Source: CEE 1987

POIDS DES COTISATIONS SOCIALES
(EN% DU P.I.B. en 1984)

	Cotisations salariés	Cotisations patronales	Total
FRANCE	5,6	12,8	19,4
R.F.A.	6	7,3	13,3
G.B.	3,3	3,6	6,9
ITALIE	3	10	13

Source: OCDE 1986

LA TVA DANS LES RECETTES FISCALES
(EN%) CHIFFRES DE 1986

Pays	%	Pays	%
FRANCE	41,7	DANEMARK	25
R.F.A.	25	ESPAGNE	28,7
ROYAUME-UNI	14	GRÈCE	25
ITALIE	20	IRLANDE	22
PAYS-BAS	38	LUXEMBOURG	18

Source: CEE 1987

7 tables from 'La France en Europe', *Décider*, no 35 fév. 1989

According to the information from the above tables, and for the years indicated:
a Which european country had the lowest standard rate of VAT?
b In which country did employers pay the highest national insurance contributions as a percentage of GDP?
c Which country paid the lowest amount of tax on share profit?
d In which country did VAT constitute the highest percentage of tax revenue?
e Which country had
  (i) the largest
  (ii) the smallest number of VAT rates?
f As a percentage of total compulsory deductions, which country paid
  (i) the highest national insurance contributions
  (ii) the highest taxes?
g How much VAT would
  (i) a French person
  (ii) a Dutch person have expected to pay on luxury goods in 1988?

Petit Guide des Sigles

Banques
- BNP (Banque Nationale de Paris) = France's second largest bank
- CA (Crédit Agricole) = France's largest bank
- CL (Crédit Lyonnais) = France's third largest bank
- CCP (Compte Courant Postal)* = giro bank run by French Post Office

Commerce* et Industrie
- BTP (Bâtiment et Travaux Pratiques)
- CAF (Coût Assurance Fret)* = cost, insurance, freight
- C et F (Coût et Fret) = cost and freight
- CCIP (Chambre de Commerce et d'Industrie de Paris)
- CFCE (Centre Français de Commerce Extérieur)
- FAB (Franco à Bord)* = free on board (FOB)
- OPA (Offre Public d'Achat) = take-over bid
- OS (Ouvrier specialisé) = semi-skilled worker in industry
- PME/PMI (Petites et Moyennes Entreprises/Industries) = the majority of French commercial or industrial companies fall into one or other of these two categories. *Petites* applies to companies with fewer than 50 employees, *moyennes* to those with 50–500 employees
- RC (Registre du Commerce)*
- SIREN (Système Informatisé du Répertoire des Entreprises)*
- SIRET (Système Informatisé du Répertoire des Etablissements)*
(NB Companies can only have one SIREN registration number, but may have more than one SIRET number depending on the number of premises)
- VPC (Vente par Correspondance) = mail order
- VRP (Voyageurs Représentants Placiers) = travelling salesmen

Courrier*
- BP (Boîte Postale)* = PO Box number
- CEDEX (Courrier D'Entreprise à Distribution Exceptionnelle)*
- PCV (Percevable à l'Arrivée) = reversed charge call
- PTT (Postes Télégraphe Téléphone) = French postal service, new version of which is P et T (Postes et Télécommunications)

Economie et Finances
- ANP (agence nationale pour l'emploi)
- BIPE (bureau d'information et de prévisions économiques)
- HT (hors taxes) = tax not included, duty free
- PIB (produit intérieur brut) = gross domestic product (GDP)
- PNB (produit national brut) = gross national product (GNP)
- SMIC (salaire minimum interprofessionnel de croissance) = statutory minimum wage indexed to retail prices
- TTC (Toutes Taxes Comprises)** = tax (usually VAT) included
- TVA (Taxe à la Valeur Ajoutée)** = VAT

Enseignement et Diplômes
- BAC (Baccalauréat) = 18+ school (*lycée*) leaving examination; the equivalent of GCE A level, but less specialised and giving automatic entry to most branches of higher education
- BEP (Brevet d'Etudes Professionnelles) = BTEC equivalent trade/technician qualification. Higher level than CAP

● BTS (Brevet de Technicien Superieur) = 2 year post-*baccalauréat* senior technician qualification, approximately equivalent to Higher BTEC (old HND)

● CAP (Certificat d'Aptitude Professionnelle) = Craft qualification, equating roughly with City & Guilds, and below BEP level

● CES (Collège d'Enseignement Secondaire) = Comprehensive secondary school for pupils aged 11+ to 15+, i.e., the first four year cycle of secondary education (*sixième* to *troisième*). The following three years or second cycle being completed in the *lycée*

● DEUG (Diplôme d'Etudes Universitaires Générales) = General (two year) university degree qualification

● DUT (Diplôme Universitaire de Téchnologie) = (see under IUT)

● Grandes Ecoles = Elite institutes of higher education, ranking above universities, entry to which is achieved by competitive examination (*concours*) organised in certain *lycées* throughout France for the most able students. Approximately 150 in number, they cover every aspect and activity of the economy and administration of France, producing the country's top engineers, economists, civil servants and teachers. Some of the more prestigious and best known in the fields of business and administration are:

ENA (Ecole Nationale d'Administration)
ENSAE (Ecole Nationale de la Statistique et de l'Administration Economique)
ESSEC (Ecole Supérieure des Sciences Economiques et Sociales;
HEC (Hautes Etudes Commerciales)

● IUT (Institut Universitaire de Téchnologie) = Created in 1966 to train senior technicians, the IUTs are the French equivalent of British polytechnics or colleges of technology preparing students for the DUT (see above).

● LEP (Lycée d'Enseignement Professionnel) = Technical college offering 2 or 3 year courses leading to CAP or BEP qualifications and technical BAC

● L ès L (Licence ès Lettres) = BA (one year post DEUG)

● L ès Sc (Licence ès Sciences) = B.Sc. (one year post DEUG)

Institutions nationales

● IFOP (Institut Français d'Opinion Publique)

● INSEE (Institut National de la Statistique et des Etudes Economiques)

● INSD (Institut National de la Statistique et de la Démographie)

Partis politiques

● MRG (Mouvement des Radicaux de Gauche) = centre left radicals

● PC (Parti Communiste)

● PS (Parti Socialiste) = main socialist party, successor to SFIO (Section Française de l'Internationale Ouvrière)

● PSU (Parti Socialiste Unifié) = break-away socialist party formed in 1960

● RPR (Rassemblement pour la République) = right-wing Gaullist Party. Formed in 1958 after the establishment of the Fifth Republic under the title of UNR (Union pour la Nouvelle République), the name was first changed after the *événements* of 1968 to UDR (Union des Démocrates pour la République). The latest title dates from 1976 when the name was changed again in an attempt to alter its increasingly 'hard right' image and become a more open party reminiscent of de Gaulle's RPF (Rassemblement du Peuple Français) of 1947.

● UDF (Union pour la Démocratie Française) = Giscardian centre alliance formed in 1978

Pays et Accords

● CEE (Communauté Economique Européenne) = EEC
● CH (Confédération Helvétique) = Switzerland
● DOM-TOM (Départements d'Outre Mer – Territoires d'Outre Mer) = French overseas departments (Martinique, Guadeloupe, Réunion, St. Pierre et Miquelon), and territories (Nouvelle-Calédonie, Wallis et Futuna, Polynésie française, Mayotte)
● ONU (Organisation des Nations Unies) = United Nations (UN)
● OTAN (Organisation du Traité de l'Atlantique du Nord) = North Atlantic Treaty organisation (NATO)
● RDA (République Démocratique Allemande) = German Democratic Republic
● RFA (République Fédérale Allemande) = German Federal Republic
● RU (Royaume Uni) = United Kingdom
● UEBL (Union Economique de la Belgique et du Luxembourg)

Radio*

● GO (Grandes Ondes) = long wave
● OM (Ondes Moyennes) = medium wave
● PO (Petites Ondes) = short wave
● MF (Modulation de Fréquence)*** = Frequency Modulation (FM)
● RMC (Radio Monté Carlo)***
● RTL (Radio Télévision Luxembourg)***
● SOFIRAD (Société Financière de Radiodiffusion) = State-owned company holding shares in private radio and television stations, e.g., 83% shareholding in Radio Monte Carlo, 99% of *Sud-Radio* and 35% of Europe 1 – *Images et Son*
● TSF (Téléphonie Sans Fil) = 'wireless' (early expression for radio)

Syndicats

● CFDT (Confédération Française Démocratique du Travail) = militant left-wing union most feared by employers. Interested in widening and modernising the French trades union movement, it believes in public ownership and worker control. It began as a break-away group from the catholic CFTC (Confédération Française des Travailleurs Chrétiens).
● CGC (Confédération Générale des Cadres) = the 'staff' union as distinct from 'workers', its membership is growing as the working class continues to evolve with the number of middle management and technician posts increasing.
● CGT (Confédération Générale du Travail) = Largest and most powerful of the unions. Traditionally marxist in outlook and devoted to the class struggle, it is supported by the French Communist Party. However, it enjoys good relations with the Employers' Federation (CNPF), and wishes at all costs to avoid anarchy within the trades union movement.
● CNAM (Confédération Nationale de l'Artisanat et des Métiers) = union representing some 100,000 self-employed business- and craftsmen.
● CNPF (Conseil National du Patronat Français) = Employers' Federation, equivalent to British CBI.
● FO (Force Ouvrière) = Left-wing union seeking closer links with CGT and CFDT, but looking for different image from traditional 'us and them' of the other unions based on Scandinavian or German pattern, with the unions in partnership with the employers and government.

Télévision***

- A2 (Antenne Deux)***
- FR3 (France Régions Trois)***
- M6 (Metropole 6)***
- SECAM (Séquentiel à Mémoire) = French colour television system used by France, East Germany, Russia, Hungary, Luxembourg and Monaco and certain middle eastern and African countries. Britain and most of northern Europe and Italy, Yugoslavia, and Albania use the German PAL (Phase Alternation Line) system developed by AG Telefunken.
- TF1 (Télévision Française Un)***

Transports

- SNCF (Société Nationale des Chemins de Fer Français) = French State Railway Company
- TGV (Train à Grande Vitesse) = high speed train
- RER (Réseau Express Régional) = Paris suburban express rail service, part of SNCF network
- RATP (Régie Autonome des Transports Parisiens) = company operating Paris *Métro* and bus service
- TIR (Transit International Routier) = road hauliers association
- UTA (Union de Transports Aériens) = long-haul French airline, ranked third after Air France and Air Inter. Air France is now the majority shareholder.

Miscellaneous

- A[O]C (Appellation [d'Origine] Contrôlée) = classification of wine guaranteeing origin and type of grape stated on label. Indicative of better quality wine, superior to VDQS (see below)
- CAO (Conception Assistée par Ordinateur) = Computer aided design (CAD)
- EDF (Electricité de France)/GDF (Gaz de France = state run electricity and gas supply monopolies which often share the same administrative offices
- HLM (Habitation à loyer modéré) = state subsidised housing
- TUC (Travaux d'Utilité Collective) = Government sponsored youth employment schemes employing young people from 16 to 21 in work aimed at 'improving the social environment' officially for a minimum period of three months and a maximum of one year.
- VDQS (Vins Délimités de Qualité Superieure) = wine classification as for AOC (see above), applying usually to quality local wines
- ZUP (Zones à Urbanisation Prioritaire) = state-funded priority urban development schemes for housing or office buildings.

* See chapter 10
** See chapter 13
*** See chapter 12

Verb Table

Regular verbs

Infinitive	Imperative	Present	Imperfect	Perfect	Future & Conditional	Subjunctive
parler	parle! parlons! parlez!	parle parles parle parlons parlez parlent	parlais	ai parlé	parlerai parlerais	parle parles parle parlions parliez parlent
finir	finis! finissons! finissez!	finis finis finit finissons finissez finissent	finissais	ai fini	finirai finirais	finisse finisses finisse finissions finissiez finissent
vendre	vends! vendons! vendez!	vends vends vend vendons vendez vendent	vendais	ai vendu	vendrai vendrais	vende vendes vende vendions vendiez vendent

Note the following 'er' verbs with slight peculiarities:

a *Verbs which double root consonant before silent 'e'. For example:* appeler, jeter + *compounds* (rappeler, rejeter, *etc*)

appeler:

Imperative	appelle! appelons! appelez!	
Present	appelle	appelons
	appelles	appelez
	appelle	appellent
Imperfect	appelais	
Perfect	ai appelé	
Future & Conditional	appellerai/appellerais	
Subjunctive	appelle	appelions
	appelles	appeliez
	appelle	appellent

b *Verbs which change 'y' to 'i' before silent 'e'. For example:*

employer:

Imperative	emploie! employons! employez!
Present	emploie employons
	emploies employez
	emploie emploient
Imperfect:	employais
Perfect	ai employé
Future & Conditional	emploierai/emploierais
Subjunctive	emploie employions
	emploies employiez
	emploie emploient

(*Also:* all −oyer *verbs with the exception of* envoyer (*see irregular verb table*); −uyer *verbs* (essuyer). *With* −ayer *verbs the change is optional*, e.g., payer → je paie *or* je paye)

c *Verbs which take è before a silent 'e'. For example:*

se lever:

Imperative	lève-toi! levons-nous! levez-vous!
	ne te lève pas! ne nous levons pas! ne vous levez pas!
Present	je me lève nous nous levons
	tu te lèves vous vous levez
	il se lève ils se lèvent
Perfect	je me suis levé(e)
Future & Conditional	je me lèverai/lèverais
Subjunctive	je me lève nous nous levions
	tu te lèves vous vous leviez
	il se lève ils se lèvent

(*Also:* mener (se promener, *etc.*); acheter; espérer (espère); *all verbs in* −eser (peser, *etc*) *and* −emer (semer, *etc*); geler.)

Irregular verbs

Infinitive	Imperative	Present	Imperfect	Perfect	Future and Conditional	Subjunctive (Present)
aller	va! allons! allez!	vais vas va allons allez vont	allais	suis allé(e)	irai irais	aille ailles aille allions alliez aillent
s'asseoir	assieds-toi! asseyons-nous! asseyez-vous!	assieds assieds assied asseyons asseyez asseyent	asseyais	suis assis(e)	assiérai assiérais	asseye asseyes asseye asseyions asseyiez asseyent

Infinitive	Imperative	Present	Imperfect	Perfect	Future and Conditional	Subjunctive (Present)
avoir	aie! ayons! ayez!	ai as a avons avez ont	avais	ai eu	aurai aurais	aie aies ait ayons ayez aient
boire	bois! buvons! buvez!	bois bois boit buvons buvez boivent	buvais	ai bu	boirai boirais	boive boives boive buvions buviez boivent
connaître	connais! connaissons! connaissez!	connais connais connaît connaissons connaissez connaissent	connaissais	ai connu	connaîtrai connaîtrais	connaisse connaisses connaisse connaissions connaissiez connaissent
croire	crois! croyons! croyez!	crois crois croit croyons croyez croient	croyais	ai cru	croirai croirais	croie croies croie croyions croyiez croient
devoir	dois! devons! devez!	dois dois doit devons devez doivent	devais	ai dû	devrai devrais	doive doives doive devions deviez doivent
dire	dis! disons! dites!	dis dis dit disons dites disent	disais	ai dit	dirai dirais	dise dises dise disions disiez disent
dormir	dors! dormons! dormez!	dors dors dort dormons dormez dorment	dormais	ai dormi	dormirai dormirais	dorme dormes dorme dormions dormiez dorment

Infinitive	Imperative	Present	Imperfect	Perfect	Future and Conditional	Subjunctive (Present)
écrire	écris! écrivons! écrivez!	écris écris écrit écrivons écrivez écrivent	écrivais	ai écrit	écrirai écrirais	écrive écrives écrive écrivions écriviez écrivent
envoyer	envoie! envoyons! envoyez!	envoie envoies envoie envoyons envoyez envoient	envoyais	ai envoyé	enverrai enverrais	envoie envoies envoie envoyions envoyiez envoient
être	sois! soyons! soyez!	suis es est sommes êtes sont	étais	ai été	serai serais	sois sois soit soyons soyez soient
faire	fais! faisons! faites!	fais fais fait faisons faites font	faisais	ai fait	ferai ferais	fasse fasses fasse fassions fassiez fassent
falloir		il faut	il fallait	il a fallu	il faudra il faudrait	il faille
lire	lis! lisons! lisez!	lis lis lit lisons lisez lisent	lisais	ai lu	lirai lirais	lise lises lise lisions lisiez lisent
mettre	mets! mettons! mettez!	mets mets met mettons mettez mettent	mettais	ai mis	mettrai mettrais	mette mettes mette mettions mettiez mettent
ouvrir	ouvre! ouvrons! ouvrez!	ouvre ouvres ouvre ouvrons ouvrez ouvrent	ouvrais	ai ouvert	ouvrirai ouvrirais	ouvre ouvres ouvre ouvrions ouvriez ouvrent

Vocabulary

à condition que, *providing that*
à dater de, *starting from*
à l'échelon national, *on/at a national level*
à moins que, *unless*
à plein rendement, *at full capacity*
à point, *medium, medium rare (steak)*
à portée de la main, *within (arm's) reach*
A.O.C, Appellation d'Origine
   Contrôlée, *mark guaranteeing the quality*
   and origin of wine
abonnement (m), *subscription*
abonner (s') (à), *to subscribe to*
abordable, *reasonable (price)*
aboutir (à), *to result (in), lead (to)*
accalmie (f), *calm, stability*
accomplir, *to perform, to accomplish*
accord (m), *agreement*
accorder (s'), *to give, grant oneself*
accorder, *to give, to grant*
accroissement (m), *increase, growth*
accroître (s) (accru), *to increase*
accueil (m), *welcome*
accueillir, *to welcome*
accuser réception, *to acknowledge receipt*
acheteur (m), *buyer*
acier (m), *steel*
acquérir, *to acquire*
acquitter, *to pay*
action (f), *share*
actionnaire (m), *shareholder*
activer, *to speed up*
actuellement, *at the present time, currently*
addition (f), *bill*
adhérent (m), *member*
adresser (s') à qn, *to go and see somebody*
aéroglisseur (m), *hovercraft*
affaires (f.pl), *business*; une bonne affaire,
   a bargain
affiche (f), *poster, bill*
affluer, *to pour in*
agenda (m), *diary*
aggraver, *to exacerbate, worsen*
agios (m.pl), *charges, premiums*
agir, *to act*
agréable, *pleasant*
agricole, *agricultural*
aile (f), *wing*
ailleurs, *elsewhere*; d'ailleurs, *moreover*
aimable, *helpful, kind*
aîné(e), *eldest son (daughter)*
aliment (m), *(prepared) food*
alimentaire, *pertaining to food*; achats
   alimentaires, *food purchases*
alléchant, *attractive, tempting*
Allemagne (f), *Germany*

allocation (f), *allowance*
ambiance (f), *atmosphere, surroundings*
ambigu, *ambiguous*
amélioration (f), *improvement*
améliorer (s'), *to improve*
amener, *to bring*
annonce, *advertisement*
annonceur (m), *advertiser*
annuaire (m), *directory*
annuler, *to cancel*
anodin, *innocuous*
apaiser, *to appease*
apercevoir (aperçu), *to glimpse*
aperçu (m), *rough/general idea*
aplanir, *to smooth, remove (obstacles)*
appareil (m), *aircraft, piece of equipment*
appareils sanitaires, *bathroom fittings*
appareil de photo, *camera*
qui est à l'appareil?, *who's speaking?*
   (phone)
appel (m), *salutation, call*
applaudir, *to clap, to applaud*
apporter, *to bring*
apporter (des changements), *to bring about*
   (changes)
apprenti (m), *apprentice*
approvisionnement (m), *stock, supply*
approvisionner (s'), *to stock up*
approvisionner, *to supply*
appui (m), *support*
après-vente(s), *after sales*
ardoise (f), *slate*
argent (m), *money, liquid cash*
arranger, *to suit, to be convenient*
arrhes (f.pl), *deposit*
article (m), *product, item*
articles ménagers, *household goods*
artisan (m), *craftsman, artisan*
artisanat (m), *crafts, small local industry*
ascenseur (m), *lift*
asseoir (s') (assis), *to sit down*
associé (m), *associate, partner*
assorti, *matching*
assurance (f), *insurance*
atelier (m), *workshop*
atout (m), *asset, trump card*
atteindre (atteint), *to reach, to get at*
attendre (attendu), *to wait*
atténuer, *to diminish*
attirer, *to attract*
attrayant, *attractive*
au même titre, *in the same way*
au sein de, *within*
aubaine (m), *windfall*
aucun(e), *not a single*

auditeur (m), *listener*
augmentation (f), *increase*
auparavant, *before, previously*
auprès de, *near*
aussitôt que, *as soon as*
autant, *as much*; pour autant, *for all that*
authentique, *genuine*
autogestion (f), *worker control*
autoroute (f), *motorway*
avènement (m), *advent*
avenir (m), *future*
aventure (f), *adventure*
avérer (s'), *to turn out to be*
avion à réaction (m), *jet aircraft*
aviron (m), *rowing*
avis (m), *opinion*
avoir beau (faire), *to (do) in vain*
avoir droit à, *to be entitled to*
avoir du feu, *to have a light*
avoir du mal, *to have difficulty* (à faire
   quelque chose)
avoir hâte de, *to be eager to*
avoir l'embarras du choix, *to be spoilt for*
   choice
avoir l'obligeance de, *to be kind enough to*
avoir lieu, *to take place*
avoir une faim de loup, *to be ravenous*
avouer, *to admit, confess*

baisser, *to fall, drop*
balnéaire, *bathing*
banlieue (f), *suburb(s)*
bannir, *to ban, outlaw*
banquette (f), *seat*
bas(se), *low*
bassin (m), *pool*
bâtiment (m), *building, building trade*
battre (battu), *to beat*
bénéfice (m), *profit*
bénéficier (de), *to get the benefit (of), to*
   enjoy, to take advantage of, to profit (by)
berceau (m), *cradle*
besoin (m), *need*
béton (m), *concrete*
biais (m), *angle, slope*; par le biais,
   obliquely, indirectly
bidon (m), *metal container, can*
bidonville (m), *shanty town*
bien cuit, *well done (meat)*
biens (m), *goods, possessions*; biens de
   consommation, *consumer goods*; biens
   d'équipement, *capital goods, durables*
bijou(x) (m), *jewel*; bijoux fantaisie,
   modern costume jewellery
bilan (m), *result*

billet (m), *ticket*
bloc-notes (m), *writing pad*
boisson (f), *drink*
bon (m), *slip, token*
bon (m) de commande, *order form*
bon marché, *cheap*
bonne affaire (f), *bargain*
borner (se) (à), *to restrict oneself* (to)
bouchon (m), *cork*
boucler un budget, *to make ends meet*
boucles d'oreille (f.pl), *earrings*
bouger, *to move*
Bourse (f), *Stock Exchange*
Bourse de Londres, *London Stock
    Exchange*
boutonnière (f), *button-hole*
branchement (m), *connection*
bras (m), *arm*
bricolage (m), *DIY*
bricoler, *to do odd jobs (about the house)*
bricoleur (m), *handyman (DIY specialist)*
brouillard (m), *fog*
bruit, *noise*
bureau (m), *office*
but (m), *goal, purpose*

cachet (m), *class, chic*
cachet (avoir du), *to have style*
cadeau (m), *present*
cadence (f), *speed, rhythm*
cadet(te), *youngest son (daughter)*
cadre (m), *framework, setting, executive (in
    industry), manager*; cadre de vie, *setting,
    environment*
cafetière (f), *coffee pot*
caisse (f), *till, cash desk*
calendrier (m), *calendar*
camionneur (m), *lorry driver*
campagne (f), *country(side)*
cancre (m), *dunce*
candidature (f) à un poste, *job application*
carrefour (m), *crossroad*
carrelages (m.pl), *tiles, tiling*
carrière (f), *career*
cascade (f), *waterfall*
cauchemar (m), *nightmare*
CEE (Communauté économique
    européenne), *EEC*
ceinture (f), *belt*; se serrer la ceinture, *to
    tighten one's belt*
censé, *considered, supposed*
centrale syndicale (f), *workers'
    confederation*
centre commercial (m), *shopping centre*
cependant, *however*
cesser de, *to stop*
chaîne (f) (de télévision), *TV channel*
chaîne de montage (f), *assembly line*
chance (f), *luck*
chantier (m), *construction/building site*;
    mettre en chantier, *to begin construction*
chantier naval/maritime, *ship-yard*

charger, *to load*
charges sociales, *national insurance charges
    (employer's)*
chauffe-plat (m), *dishwarmer*
chaussures (f.pl), *shoes*
chef comptable (m), *chief accountant*
chef des services d'exportation, *export
    manager*
chemin (m), *path, way*
chemise (f), *shirt*
chéquier (m), *cheque book*
chiffre (m), *figure*; chiffre d'affaires,
    turnover
chimère (f), *illusion, wild dream*
choisir, *to choose*
choix (m), *choice*
chômage (m), *unemployment*
chômeur (m), *unemployed person*
circulation (f), *traffic*
ciseaux (m.pl), *scissors*
citer, *to quote*
citoyen (m), *citizen*
clandestinement, *illegally, secretly*
clé; clef (f), *key*
clinquant, *flashy*
coeur (m), *heart*
cogestion (f), *co-management (worker
    participation)*
coiffé (par), *headed (by)*
coin (m), *corner*; coin de vacances, *holiday
    spot*
collectivité locale (f), *local community*
collier (m), *necklace*
coloris (m), *shade, colour*
combiné (m), *telephone receiver*
combler, *to fill in, to make up for*
comité d'entreprise (m), *workers' council*
commande (f), *order*;
commande (f) d'essai, *trial order*
commander, *to order*
commerçant (m), *shopkeeper, tradesman*
commerce (m), *trade, (retail) shop,
    business*
commissariat de police (m), *police station*
commission (f), *errand, message*; faire la
    commission, *to pass on the message*
communément, *generally*
communication (f), *call*
complaire, (se) (à), *to delight (in)*
complaisance (f), *complacency, kindness*
compléter (se), *to complement each other*
comportement (m), *behaviour*
comporter, *to comprise*
composer (un numéro), *to dial (a number)*
compris (p.p. comprendre), *understood,
    included*
comptabilité (f), *accountancy*; service de
    comptabilité, *accounts department*
compte (m), *account (bank)*
compter (sur), *to count (on), to reckon*;
    compter faire, *to count on, intend doing*
concertation (f), *cooperation (between*

management and workers)
concessionnaire (m), *agent*
concevoir (conçu), *to design*
concordance (f), *harmony, blending*
concours (m), *assistance, participation,
    competitive examination*
conçu (p.p. concevoir), *designed*
concurrent (m), *competitor*
condamner, *to condemn*
conduire, *to drive, lead the way, take (a
    person)*
confiserie (f), *confectionery, sweets*
conflits sociaux (m.pl), *industrial unrest/
    action*
conjoncture (f), *climate, situation, short-
    term economic trend*
connaissance (f), *knowledge, acquaintance*
consacrer, *to allocate*
conseil (m), *advice, consultancy*
conseil d'administration (m), *board of
    directors*
conseil de surveillance (m), *watch
    committee*
conseiller, *to advise*
conserver, *to keep*
consigne (f), *left luggage locker,
    instructions, orders*
consommateur (m), *consumer*
consommer, *to consume, to use (petrol)*
constater, *to note (take note of), to notice*
construire (construit), *to build*
conteneur (m), *container*
contentieux (service du), *legal dept.*
(à) contre-pied (m), *on the wrong foot*
contremaître (m), *foreman*
contretemps (m), *hitch, inconvenience*
contribuable (m), *tax payer*
convaincre (convaincu), *to convince*
convenablement, *properly*
convenir (à qn), *to suit, be all right for*
convenir (de) *to admit*
convenu, *agreed*
conventionné, *government financed*
conventions collectives (f.pl), *collective
    bargaining*
convier, *to invite*
corsé, *full-bodied (of wine)*
coté (en Bourse), *quoted (on the Stock
    Exchange)*
cote (f), *rating, standing*
côté (m), *side, edge*
cotisation (f), *contribution, subscription*
cotoyer, *to border on*
coup de fil (m) (passer un . . .), *to give a
    ring, phone call*
coup de foudre (m), *love at first sight*
coup de téléphone, *telephone call*
coupe (f), *cut (of cloth, hair etc)*
coupure (f), *cut, break*
couramment, *fluently*
courant (m), *electric current*

courant, *common, everyday;* être au courant, *to know, to be informed/aware*

courrier (m), *mail;* moyen courrier, *medium range aircraft;* long courrier, *long haul aircraft*

cours (m), *lesson, course, (exchange) rate*

cours (m), *course;* suivre des cours (de), *to take a course (in)*

courses (f.pl), *shopping;* faire des courses, *to shop*

court, *short*

courtois, *polite*

coût (m) de la vie, *cost of living*

coûteux, *costly*

coutume (f), *custom*

couturiere (f), *dress-maker*

couvert (m), *cover, place at table*

couvrir (couvert), *to cover*

craindre (craint), *to fear*

cramoisi (ad.), *crimson*

craquements (m.pl), *crackling noise*

créer, *to create, to set up*

créneau (m), *niche, market gap*

creux (m), *hollow;* période creuse, *low season*

crise (f), *crisis*

croire (cru), *to believe*

croissance (f), *growth*

croître (crû), *to grow*

croustillant, *crisp*

crudités (f.pl), *raw vegetable hors d'oeuvres*

crypté, *scrambled (i.e., broadcast in code)*

cuisine (f), *kitchen, food, cooking*

cuisinière (f), *cook, cooker*

cuit, *cooked;* bien cuit, *well done (steak)*

cure (f), *course (of treatment), care;* on n'en a cure, *nobody cares*

d'ores et déjà, *already*

dactylographie (f), *typing*

date de livraison (f), *delivery date*

de la part de, *on behalf of*

déballer, *to unpack*

débit (m), *yield, supply, shop*

déboire (m), *disappointment*

débordé, *overwhelmed, overworked*

débouché (m), *(sales) outlet, (job) opportunity*

déboucher, *to uncork*

débourser, *to pay out*

deça, *this side;* en deça de, *on this side of (i.e. below, short)*

décevoir (déçu), *to disappoint*

déclenchement (m), *outbreak*

déclencher, *to start, unleash*

décollage (m), *take-off (of aircraft)*

décrire, *to describe*

décrocher (le combiné), *to lift (the receiver)*

décroître, *to decrease*

déçu (p.p. décevoir), *disappointed*

défaut (m), *fault*

défier toute concurrence (f), *to be unbeatable*

déguster, *to taste (of wine), to sip, to sample*

délai (m) de livraison, *time taken (for delivery), lead-time*

déloyal, *disloyal*

démarche (f), *step (to)*

déménager, *to move house*

demi-pension (f), *half-board*

démodé, *old fashioned*

démontrer, *to illustrate*

démunir, *to deprive*

dénuer, *to strip, divest, deprive*

dépasser, *to exceed, be in excess of*

dépêcher (se), *to hurry*

dépense (f), *expense*

dépenser, *to spend*

dépit: en dépit de, *despite*

déplacer (se), *to move*

dépliant (m), *leaflet*

dépotoir (m), *dumping ground*

dépression nerveuse (f), *nervous breakdown*

déranger (se), *to disturb, trouble oneself*

déréglementation (f), *deregulation*

dérégler, *to upset, put (mechanism) out of order*

dès l'instant où, *the moment that*

dès que, *as soon as*

descendre dans un hôtel, *to stay at a hotel*

déséquilibré, *uneven, unbalanced*

désolé, *sorry*

désormais, *from now on*

desservir, *to run between*

dessinateur (m), *draughtsman (designer)*

détaillant (m), *retailer*

détendre (se) (détendu), *to relax*

détenir, *to hold*

détruire, *to destroy*

devancer, *to get ahead of*

devoir (m), *duty, homework*

diffusion (f), *distribution*

diminuer, *to diminish, to fall (in number)*

direction (f), *management*

dirigeant (f), *leader*

discours (m), *speech*

disparaître (disparu), *to disappear*

disponible, *available*

disposer de, *to have at one's disposal*

disposition (f), *arrangement*

disque (m), *record*

distraire (se), *to enjoy oneself*

divers, *various*

diversifier (se), *to diversify*

dodu, *plump*

domaine (m), *field (of activity)*

dommage (m), *harm;* quel dommage! *What a pity!*

donnée (f), *fundamental idea, basis;* données (f.pl), *data*

donner des précisions sur quelque chose, *to give details about (sthg)*

donner sur, *to overlook*

dorénavant, *from now on*

dorure (f), *gilding*

dossier (m), *file*

douane (f), *customs*

doublé, *lined;* (doublé de soie, *silk-lined*)

doubler, *to line, to overtake*

douceur (f), *mildness, gentleness*

dresser une liste, *to draw up a list*

durée (f), *duration*

écart (m), *gap, differential;* se tenir à l'écart, *to keep one's distance*

échantillon (m), *sample*

échéance (f), *deadline*

échec (m), *failure*

échecs (m.pl), *chess*

échelle (f), *ladder, scale*

échelon (m), *level, grade*

échouer, *to fail*

éclaircissement (m), *explanation*

éclater, *to burst*

économetrie (f), *econometrics*

Ecosse (f), *Scotland*

écouler (marchandise), *to sell, dispose of (goods)*

écran (m), *screen*

écraser, *to crush*

écrou (m), *nut (tech.)*

effectifs (m.pl), *numbers (of employees)*

effectivement, *indeed, to be sure*

effectuer, *to carry out, perform (a task)*

efficace, *efficient*

efficacité (f), *efficiency*

effréné, *frantic, wild*

égard (m), *consideration, respect;* à bien des égards, *in many respects*

élargir, *to widen*

élections législatives (f.pl), *parliamentary (general) elections*

électro-ménager (m), *household electrical goods*

élevage (m), *breeding, rearing (cattle)*

élevé, *high (of prices, rates, etc.)*

élever (s') à, *to amount to*

éloigné, *far away*

emballage (m), *packaging*

embarquement (m), *loading, boarding*

embauche (f), *recruitment (of labour)*

embaucher, *to recruit, employ, take on (workers)*

embouteillage (m), *traffic-jam*

émettre (émis), *to broadcast*

émission (f), *broadcast, programme*

emmener (qn), *to take (someone)*

empêcher (de faire quelque chose), *to prevent (from doing something)*

emplacement (m), *site*

emporter (sur), *to win*

emprunter, *to borrow*

emprunt (m), *loan;* lancer un emprunt, *to float a loan*

en avance, *early*
en ce qui concerne, *as far as . . . is concerned*
en dépit de, *in spite of*
en province, *in the provinces*
en tout cas, *in any case*
en-tête (f), *letter heading*
enchanté, *pleased (to meet you)*
encombrement (m), *surfeit, glut*
endroit (m), *place*
énerver (s'), *to get annoyed, bad tempered*
engager (s') (à), *to undertake (to)*
engins de levage (m.pl), *lifting gear*
engueuler, *to tell off (slang)*
ennui (m), *problem, annoyance*
ennuis (m.pl), *trouble(s)*
ennuyeux (adj), *annoying, awkward, boring*
enquête (f), *enquiry, survey*
enseignant (m), *teacher*
enseigne (f), *(shop) sign*
enseignement (m), *teaching*
ensemble (dans l'), *overall, on the whole*
ensuite, *afterwards, to follow*
entendre (s'), *to understand each other*
entendu, *agreed*
entrée (f), *entrance, first (main) course of meal*
entrepôt (m), *warehouse, store*
entreprise (f), *company, firm*
entrer en ligne de compte, *to matter*
entretenir (s') avec, *to converse, discuss with*
entretien (m), *conversation, maintenance*
entrevue (f), *meeting*
énumérer, *to list*
envers, *towards*
envoyer, *to send*
épanouir (s'), *to blossom, to (fully) develop*
épargne (f), *savings*; caisse d'épargne, *state savings bank*
épeler, *to spell*
épicerie, *grocery store, groceries*
époque (f), *period, time*; à cette époque, *at that time*
épouse (f), *wife*; époux (m), *husband*
épouvanter (s'), *to get frightened*
équipe (f), *shift, team*
escalier (m) *stairs*
esclave (m/f), *slave*
escompte (m), *discount*
espoir (m), *hope*
essayer, *to try*
essor (m), *expansion*
établissements (m.pl), *firm, company*
étage (m), *floor*
étagère (f), *shelf*
étape (f), *stage*
état (m), *state*
état-major (m), *headquarters*
été (m), *summer*
étonner, *to surprise*, s'étonner, *to be surprised*

étranger (m), *stranger, foreigner*; à l'étranger, *abroad*
être au courant de, *to know, to be informed*
être débordé, *to be unable to cope, to be 'snowed under'*
être en mesure de faire (qc), *to be in a position to do (sthg)*
être payé au rendement, *to be paid by output, to be on 'piece work'*
étude (f) de marché, *market study*
étudiant (m), *student*
événement (m), *event*
éventail (m), *spread, range, fan*
éviter, *to avoid*
évoluer, *to evolve, develop*
excédent (m), *surplus*
excuser (s'), *to excuse oneself, to apologise*
exemplaire (m), *model, copy*
exiger, *to demand*
expansion (f), *development, growth*
expédition (f), *dispatch*
expert comptable (m), *chartered accountant*
expert-conseil en publicité (m), *advertising consultant*
exposant (m), *exhibitor*
exprimer (s'), *to express oneself*

fabricant (m), *manufacturer*
fabrication (f), *manufacture*
fabriquer, *to make, to manufacture*
fâcheux, *regrettable, unfortunate*
facile, *easy*
faciliter, *to make easy*
façon (f), *way, manner*; de toute façon, *in any case*
facture (f), *invoice, bill*
faible, *weak, small*
faiblesse (f), *weakness*
faillite (f), *bankruptcy*
faire plaisir, *give pleasure*
faire (votre) affaire, *to meet (your) requirements*
faire activer les choses, *to get things moving*
faire attendre (qn), *to keep (sbdy) waiting*
faire boule de neige, *to snowball*
faire cuire (qc), *to cook (sthg)*
faire de bonnes afaires, *to find bargains*
faire des progrès, *to make progress, improve*
faire du souci (se), *to worry*
faire état de, *to state, mention, put forward*
faire face (à), *to cope (with)*
faire la commission (à qn), *to pass the message on (to sbdy)*
faire la connaissance (de qn), *to meet, make the acquaintance (of sbdy)*
faire le pont, *to take an extra day off, make a long week-end of it*
faire le tour, *to go round*
faire part de quelque chose, *to inform*
faire parvenir, *to send*
faire plaisir, *give pleasure*

faire preuve de, *to show*
faire remarquer (qc à qn), *to point (sthg) out (to sbdy)*
faire savoir, *to let know*
faisan (m), *pheasant*
fait (m), *fact*
farine (f), *flour*
faste, *good, lucky*
fée (f), *fairy*
femme (f), *woman, wife*
fer (m), *iron*; fer à cheval, *horse-shoe*
fermeture (f), *fastener*
feuille de paye (f), *pay-slip*
fiable, *reliable*
fiche (f), *form*
fidèle, *faithful, loyal*
fier, *proud*
fier(se) à, *to trust*
figurer, *to show*
filiale (f), *subsidiary company*
fiscalité (f), *taxation*
fixer, *to fix up, to arrange*
flambée (f), *sudden upsurge*
fléau (m), *scourge, curse*
flou, *woolly, nebulous*
foire (f), *(trade) fair*
fonction publique (m), *public office, civil service*
fonds (m.pl), *funds*
forage (m), *drilling*
force (f), *strength*
forfait (m), *package*
formation (f), *training*
foulard (m), *scarf*
four (m), *oven*
fournir, *to supply*
fournisseur (m), *supplier*
foyer (m), *household, home, hearth*
frais, fraîche, *cool, fresh*
frais (m.pl), *costs, overheads, expenses*
frais généraux, *general costs, overheads*
franchir, *to cross*
freiner, *to brake*
frite (f), *potato chip*
friteuse (f), *chip pan*
friture (f), *fried food*
fructueux, *fruitful*
fruits de mer (m.pl), *sea-food*
funeste, *disastrous, fateful*
fusion (f), *merger*
fusionner (avec), *to merge (with)*
fusionner, *to merge*

gagner, *to earn, gain, win*
gamme (f), *range*; haut/bas de gamme, *top/bottom of the range of products*
gamme MF (modulation de fréquence), *FM range*
garantir, *to guarantee*
garer (se), *to park*
gaspillage (m), *wastage, squandering*
gâter, *to spoil*

gêné, *inconvenienced*

gêner (se), *to stand on ceremony*

genre (m), *style, type, sort*

gérant (m), *(branch) manager*

gérer, *to manage*

gestion (f), *management*

gestionnaire (m), *manager*

gibier (m), *game*

gisement (m), *(natural) field, deposit (of oil, gas)*

glacé, *icy cold, chilled*

goût (m), *taste*

grâce (à), *thanks to*

gratuit, *free*

grenouille (f), *frog*

grève (f), *strike;* grève sauvage, *wild-cat (unofficial) strike;* faire la grève, se mettre en grève, *to strike*

grippe (f), *flu*

grossiste (m), *wholesaler*

grue (f), *crane*

habile, *skilful*

habillé, *smart (of clothes)*

habillement (m), *clothing industry*

habitant (m), *inhabitant*

habitué(e), *regular (customer)*

haricot vert (m), *(French) bean*

hausse (f), *increase, raising;* hausse (f) des prix (m), *price rise*

hebdomadaire, *weekly*

hébergement (m), *accommodation*

hectare (m), *hectare (2.47 acres)*

hétéroclite, *odd, sundry*

heure (f), *hour, time;* de bonne heure, *early*

heures de pointe (f.pl), *rush-hour(s)*

heurter (se) (contre), *to clash (with)*

holà! *hold on! not so fast!*

honteux, *disgraceful, shameful*

horaire (m), *timetable*

hors (saison), *out of/off season*

hors pair, *unmatched, unparalleled*

huître (f), *oyster*

hypermarché (m), *hypermarket*

illuminer, *to light up*

immeuble (m), *apartment block*

immigré (m), *immigrant*

imperméable (m), *raincoat*

implantation (f), *implantation, setting-up*

implanter (s') sur le marché, *to become established on the market*

important, *important, large*

impôt (m), *tax;* impôt sur le revenu, *income tax;* impôt sur les fortunes, *wealth tax;* impôt local, *rates/poll tax*

impression (f), *pattern*

impressionné, *impressed*

imprévu (m), *unforseen event*

imprimé (m), *printed material*

inattendu, *unexpected, unusual*

inaugurer, *to open, to introduce*

incendie (m), *fire*

inconvénient (m), *problem, disadvantage*

incitation (f), *incentive;* incitation fiscale, *tax incentive*

indice (m) des prix, *price index*

indiquer, *to specify*

indiscutable, *indisputable*

informatiser, *to computerise*

ingénieur (m), *engineer*

ingérer (s') (dans), *to interfere (in)*

inquiétant, *worrying*

inquiéter (s'), *to worry;* ne vous inquiétez pas! *don't worry!*

insolite, *unusual*

interdire (s'), *to forbid (oneself)*

intéressement (m), *profit sharing*

interroger, *to question*

interrompre (interrompu), *to interrupt*

interrupteur (m), *light switch*

inutile, *useless, no point*

investissement (m), *investment*

issue (f), *end, conclusion, exit;* à l'issue de la rencontre, *at the end of the meeting*

I.U.T. (Institut Universitaire de Technologie)

jadis, *formerly, once*

Japon (m), *Japan*

jeter un coup d'oeil, *to have a look*

jeu (m), *game*

joindre (joint), *to link, to contact, to reach*

jouir (de), *to enjoy*

jour férié (m), *holiday*

laideur (f), *ugliness*

laine (f), *wool*

laisser entendre, *to give to understand*

laisser, *to leave*

lance (f) d'incendie, *fire-hose*

lancement (m), *launching (of a product)*

lancer, *to launch, throw;* lancer l'ordre de grève, *to call a strike*

lande (f), *moor*

large: au large de, *off (coastline)*

las, *weary*

lavabo (m), *wash basin*

lave-linge (m), *washing machine*

le chantier (m), *building site*

lecteur (m), *reader*

légèrement, *slightly, lightly*

légume (m), *vegetable*

lendemain (m), *the next day*

licence (f), *(university) degree*

licencier, *to make redundant, to dismiss*

lieu (m), *place*

ligne (f), *line, figure*

linge (m), *laundry, washing*

littoral (m), *coast*

livraison (m), *delivery*

livre (f), *pound*

location (f), *rent, hire*

logement (m), *accommodation, housing*

logiciel (m), *software*

loi (f), *law;* homme de loi, *lawyer, legal practitioner;* projet (m) de loi, *parliamentary bill*

loin, *far*

loisir (m), *leisure (time)*

lors de, *at the time of*

louer, *to rent*

loup (m), *wolf;* avoir une faim de loup, *to be ravenous*

lourd, *heavy*

lycée technique (m), *technical, further education college*

machine à écrire (f), *typewriter*

machine outil (f), *machine tool*

magasin (m), *shop*

magasinier (m), *storeman*

magnétoscope (m), *video tape recorder*

main d'oeuvre (f), *work force*

maison (f), *house*

maison (individuelle), *(detached) house*

mal (m) (pl maux), *pain*

malentendu (m), *misunderstanding*

malheureusement, *unfortunately*

Manche (f), *Channel*

manière (f), *manner;* d'une manière générale, *generally*

manifestation (f), *event*

manigancer, *to scheme, plot, gerrymander*

manipuler, *to handle*

manne (f), *windfall*

mannequin (m), *model, dummy*

manoeuvre (m), *unskilled labourer*

manque (m), *lack*

manquer, *to miss,* manquer de faire qch, *to fail to do something*

manteau (m), *coat*

manuel (m), *text-book*

manutentionnaire (m/f), *packer, loader*

marchander, *to bargain*

marché (m), *market;* faire son marché, *to shop*

le Marché commun, *Common Market*

marcher, *to walk (colloquial to do well, to work)*

marge (f), *margin*

marge bénéficiaire (f), *profit margin*

mari (m), *husband*

maroquinerie (f), *fancy/fine leather goods*

marque (f), *make, brand*

maternel, *maternal/mother,* langue maternelle, *mother tongue*

matières premières (f.pl), *raw materials*

mécontent, *displeased*

méfiance (f), *distrust*

ménage (m), *household*

ménagère (f), *housewife*

mener, *to take, lead*

mensuel, *monthly*

métier (m), *job, occupation, trade*
mets (m), *dish (of prepared food)*
mettre (mis), *to put*
mettre (se) d'accord sur, *to agree on*
mettre (se) en colère, *to get angry*
mettre à jour, *to update*
mettre au point, *to perfect*
mettre en chantier, *to start building*
mettre en contact, *put in touch*
mettre {en place, *to set up something*
      {sur pied
mettre en oeuvre, *to implement, to bring into play*
meubles (m.pl), *furniture*
micro-ondes (f), *microwave*
milliard (m), *billion, (thousand million)*
minute-poste (f), *minute of advertising time*
mirobolant, *wonderful, 'sparkling'*
misogyne, *misogynous*
mode (f), *fashion*
mois (m), *month*
moitié (f), *half*
mollet (m), *calf (leg)*
monde (m), *world*
monotone, *boring, monotonous*
montage (m), *assembly*
montant (m), *amount*
monter, *to climb, to assemble (parts)*
montre (f), *watch*
morose, *sullen, sluggish*
mot (m), *word, message;* au bas mot, *at the lowest estimate*
motif (m), *design*
moto (f), *motor-cycle*
mouvementé, *busy*
moyen (m), *means, method, way;* moyens d'information de masse, *mass média*
moyen(ne), *average*

n'importe, *any*
naissance (f), *birth*
naître, (p.p. né(e)), *to be born*
natation (f), *swimming*
nautisme (m), *water sport (sailing, boating, etc.)*
navré, *sorry*
nécessiter, *to require*
négligeable, *negligible, unimportant*
négligence (f), *oversight*
nettement, *clearly*
nettoyage (m), *cleaning*
neuf, *new*
névroses (f.pl), *neuroses*
nier, *to deny*
niveau (m), *level;* niveau de vie, *standard of living*
noeud (m) (fig.), *junction*
nommer, *to appoint*
non-ferreux, *non-ferrous*
note (f), *bill*
noter, *to make a note of*
nourriture (f), *food*

nouvelles (f.pl), *news*
nulle part, *nowhere*
nullement, *not the slightest;* je n'ai nullement l'intention de . . . , *I haven't the slightest intention of . . .*

obtenir (obtenu), *to obtain*
obtenir gain de cause, *to get satisfaction, to win (case)*
occasion (f), *opportunity*
voiture d'occasion, *second hand car*
Occident (m), *the West*
occidental, *western*
occupé, *busy*
occuper (s') de (qn), *to look after (sbdy)*
octroi (m), *granting, bestowing*
oenologie (f), *oenology*
offrir (offert), *to give, to offer*
offrir un verre (à qn), *to offer (sbdy) a drink*
oléoduc (m), *(oil) pipe-line*
opportunément, *opportunely*
or (m), *gold;* (conj): *now, yet*
ordinateur (m), *computer*
oser, *to dare*
oublier, *to forget*
ourlet (m), *hem*
outil (m), *tool*
outillage (m), *tools, machinery*
outre-Manche, *across the Channel*
outre-mer, *overseas*
ouvrier (m); ouvrière (f), *worker*
ouvrier qualifié, *skilled worker*
ouvrier spécialisé, *semi-skilled worker*

P.M.E. (Petites et Moyennes Entreprises)
paiement comptant, *cash payment*
pallier à, *to cure, remedy*
panne (f), *breakdown (mechanical, electrical)*
paquet (m), *parcel*
par rapport (à), *compared (with), in relation (to)*
parapluie (m), *umbrella*
parcmètre (m), *parking meter*
parcourir (parcouru), *to travel, to cover (distance)*
pardessus (m), *(man's) overcoat*
pardonner, *to excuse, to forgive*
pareil, *same, similar*
parking (m), *car park*
parler affaires, *to talk, get down to business*
part (f), *share*
partage (m), *(social) division*
partager, *to share*
parti (m), *political party*
particulier (m), *individual*
partie (f), *part*
parvenir (à), *to manage, reach, succeed in, arrive (at)*
pas (m), *step*

passer (commande), *to place (an order)*
passerelle (f), *bridge, gangway*
pâtisserie (f), *cake, tart;* pâtisserie maison, *cakes or tarts made on the premises*
patrimoine (m), *heritage*
patron(ne), *boss*
patronat (m), *employers*
pavillon (m), *flag, house*
pays (m), *country;* pays en voie de développement, *developing country*
Pays de Galles (m), *Wales*
peau (f), *skin, hide, leather*
peloton (m), *pack, main body (of riders)*
pension (f), *board, boarding school*
pénurie (f), *shortage*
pépinière (f), *horticultural nursery, (fig.) breeding-ground*
percée (f) *breakthrough*
perdre (perdu), *to lose*
péripétie (f), *peripeteia, sudden change of fortune*
périphérique, *peripheral;* boulevard périphérique (m), *ring road*
permettre (permis), *to enable*
permis (m), *permission, authorisation,* permis de conduire, *driving licence*
personnel au sol (m), *airport ground staff*
perte (f), *loss*
peser, *to weigh*
pétrole (m), *(crude) oil*
pièce (f), *part;* pièce détachée, *spare (part);* pièce échantillon, *sample (part)*
pièce jointe (f), *enclosure*
piscine (f), *swimming pool*
places (f), *(here): stock exchanges*
plaîre (à), *to please*
plan (m), *plan, (street) map*
plaquette (f), *publicity folder, pack*
pli (m), *letter*
plonger, *to dive*
plupart (f), *most*
pochette (f), *slim (evening) handbag*
poêle (f), *frying pan*
point: à point, *medium (of steak)*
pointure (f), *size (footwear)*
pont-levis (m), *draw-bridge, swing bridge, lift platform*
porte-clefs (m), *key ring;* porte-feuille (m), *wallet*
porte-fusée (f), *compressed air spanner*
porte-monnaie (m), *purse*
portée (f) (à votre), *within your reach;* à portée de la main, *within arm's reach*
porter (se) bien, *to be in good health*
porter préjudice (à), *to harm, damage*
porter un coup (à), *to deal a blow to*
poser, *to place*
posséder, *to own*
poste (m), *extension (telephone)*
pourboire (m), *tip*
poursuivre (poursuivi), *to pursue, prosecute*

pourvoir, *to provide*
poussée électorale (f), *electoral swing*
pouvoir d'achat (m), *purchasing power*
pouvoir, *to be able*; ne rien y pouvoir, *to be unable to do anything about it*
pouvoirs publics (m.pl), *authorities*
pratique, *convenient*
préable (au), *in advance*
précisions (f.pl), *precise details*
précoce, *early, precocious*
préconiser, *to advocate, strongly recommend*
prélèvement (m), *deduction*
prendre (pris), *to take*
prendre à sa charge, *to bear the cost*
prendre en charge, *to take responsibility for*
président directeur général (PDG), *chairman*
pressé, *in a hurry*
prêt à porter (m), *ready-made clothing (industry)*
prêt, *ready*
preuve (f), *proof*
prévaloir (se), *to avail oneself*
prévenir (prévenu), *to let know in advance, to warn*
prévision (f), *forecast*
prévoir, *to foresee*
prime (f), *bonus*
pris en compte, *taken into account*
prix d'achat (m), *purchasing price*
prix de revient (m), *cost price*
prix unitaire, *unit price*
procédé (m), *process, procedure*
prochainement, *soon*
proche, *near*
produit (m), *product*
profil (m), *profile*
profiter (de), *to take advantage of*
projeteur (m), *designer*
promesse (f), *promise*
promettre (promis), *to promise*
promoteur (m) (de l'immobilier), *(property) developer*
promotion (en) (f), *special offer*
prospectus (m), *handbill, leaflet*
provenir de, *to come from*
publicité (f), *advertising, publicity*
puissant, *powerful*

qu'il s'agisse, *be it, be they*
quart (m), *quarter, area*
quartier (m), *quarter, locally (of town)*; restaurant du quartier, *local restaurant*
quelconque, *some, any*
queue (f), *tail*
quinquennal, *five yearly*
quotidien (m), *daily (newspaper)*

R.F.A., République Fédérale Allemande, *West Germany*
rabais (m), *rebate, reduction*
raccompagner, *to take someone back*

raccourcir, *to shorten*
rachat (m), *take over*
racheter, *to take over*
racine (f), *root*
raffinement (m), *refinement, subtlety*
randonnée (f), *ramble*
rang (m), *row, rung*; au premier rang, *in first position*
ranger, *to put away, to tidy up*
rappeler (se), *to recall, phone back, remind*
rappeler(se), *to remember*
rapport (m), *relation, connection*
raser, *to raze, pull down, shave*
rassemblement (m), *rally, gathering*
rattraper (se), *to make up, catch up*
ravi, *delighted*
rayer, *to cross out*
rayon (m), *beam (of light), shelf, department counter (in a store)*; rayon d'action, *range*
rayonnage (m), *shelving*
réaménagé, *redesigned, redeveloped, improved*
recenser, *to compile*
réception (f), *receipt*
recette (f), *recipe, receipt*
recevoir (reçu), *to receive*
recevoir des nouvelles de quelqu'un, *to hear from someone*
recherche (f), *research*
réclame (f), *advertisement*
reconnaissant, *grateful*
récriminatoire, *recriminatory*
recrudescence (f), *fresh outbreak*
recueillir, *to collect*
reculer, *to reverse, to go back*
récuser, *to challenge, take exception to*
recyclage (m), *retraining*
recycler, *to retrain*
redouter, *to fear*
réduire (réduit), *to reduce, diminish*
réfléchir, *to think (over), reflect*
réfrigérateur (m), (frigo), *fridge*
régal (m), *treat*
régler (une facture), *to settle (a bill)*
régresser, *to go down, diminish*
relâche (m), *respite*; sans relâche, *without let-up*
relais (m), *relay*; prendre le relais, *to take over*
relèvement (m), *increase*
relevé (m), *statement (bank)*
relier, *to link up*
remarquer, *to notice*
rembourser, *to reimburse*
remise (f), *discount, reduction, remittance*
remonter, *to go back (time)*
remplir, *to fill*
rémunération, *pay*
rendement (m), *production, return*
rendez-vous (m), *appointment*
rendre (rendu) un service, (à qn), *to do*

(sbdy) a favour
rendre compte (se), *to realise*
rendre visite à qn, *to call on someone*
renforcer, *to strengthen*
renommé, *famous*
renommée (f), *renown, fame*
renouveler, *to renew*
renouvellement (m), *renewal*
renseignement (m), *information*
renseigner (se), *to enquire, to find out information*
renseigner, *to inform*
rentabilité (f), *profitability*
rentrer, *to go back, to return*
répartir, *to spread, distribute*
répartition (f), *distribution*
répercuter (se) (sur), *to make up (on)*
reporter, *to bring forward (in time)*
repousser, *to put off, postpone*
représentant syndical (m), *trades union representative*
reprise (f), *revival, upturn*
réseau (m), *network*
résoudre (résolu), *to solve*
ressortir, *to come out*
restes (m.pl), *remains*
résultat (m), *result*
résumer, *to summarise*
retard (m), *delay*
retenir, *to retain, reserve*
retour (m), *return*
retourner, *to send back*; se retourner, *to turn round*
retraite (f), *retirement*
retraité(e) (m/f), *(old age) pensioner*
rétrécir, *to shrink*
rétrécissement (m), *shrinking, narrowing*
rétrocéder, *to cede back*
retrouver (se), *to meet*
réunion (f), *meeting*
réussir (à), *to succeed (in)*
réussite (f), *success*
revanche (f), *revenge, return match*; en revanche, *on the other hand*
réveil (m), *awakening*
revendication (f), *demand, claim*
revendiquer, *to demand*
revenir (revenu), *to come back*
revenu (m), *income*
revenu disponible réel, *real earnings*
revirement (m), *veering (of opinion), change of direction*
rez de chaussée (m), *ground floor*
risquer, *to be likely to*; vous risquez de, *you might/are likely to*
rivaliser (avec), *to compete (with)*
river, *to rivet*
robinet (m), *tap*
rôti (m), *roast (meat)*
rouler, *to drive*
ruée (f), *rush*; la ruée vers l'or, *the gold rush*

S.N.C.F. (Société nationale des chemins de fer français.), *French railways*

sac (m), *bag*, (à main) *hand bag*

sage, *wise*

saignant, *bleeding, rare (of steak)*

sain, *healthy*

sain et sauf, *safe and sound*

saisonnier, *seasonal*

salade verte, *lettuce*

salaire (m), *wage, salary (see note to Chapter 4)*

salarié (m), *wage earner*

sale, *dirty*

salon (m), *living room, show, exhibition;* Salon de l'Auto, *Motor-Show;* Salon des Arts Ménagers, *Ideal Home Exhibition*

santé (publique) (f), *(National) Health*

savoir (su), *to know*

séance (f), *sitting, show, session*

sec, *dry, curt*

séjour (m), *stay*

selon, *according to*

semaine (f), *week*

semestre (m), *semester (half year)*

sensible, *significant, obvious, perceptible, sensitive*

sentiment (m), *feeling*

sentir (se), *feel*

septennat (m), *seven-year period/mandate (politics)*

service (m) des exportations, *export department*

serviette (f), *briefcase*

servir d'interprète, *to act as interpreter*

seuil (m), *threshold*

sidérurgie (f), *steel industry*

siècle (m), *century*

siège (m), *seat;* siège social (m), *head office, company headquarters*

sigle (m), *initials, abbreviations, acronym*

signaler, *to point out*

situation (f), *position (job)*

société (f), *company, firm*

soi-disant, *supposedly*

soie (f), *silk*

soigné, *attentive service, well-groomed appearance, well presented*

soin (m), *care;* avoir soin de faire qch, *to take care to do sthg*

sole meunière, *sole shallow-fried with butter and flour*

solide, *strong*

somme (f), *amount*

avoir sommeil, *to feel sleepy*

sommeil (m), *sleep*

sondage (m), *gallup opinion poll*

sonnerie (f), *bell, alarm*

sortir (sorti) (trans.), *to bring out;* (intrans.), *to go out*

souci (m), *worry;* se faire du souci, *to worry*

soucier (se) (de qch), *to worry (about sthg)*

souhaiter, *to wish*

soulagé, *relieved*

souligner, *to underline, emphasize*

sourd, *deaf*

sous-sol (m), *basement*

sous-traitant (m), *subcontractor*

soutenir, *to support*

souterrain, *subterranean, underground*

soutien (m), *support*

souvenir (pp. souvenu) (se) (de), *to remember*

souvenir, *memory, recollection;* un bon souvenir, *a fond memory*

soyeux, *silky*

spot publicitaire (m), *commercial bank*

stage (m), *(work) placement, (training) course*

stationnement (m), *parking, waiting (in a vehicle)*

sténo-dactylo (f), *shorthand-typist*

sténographie (f), *shorthand*

subir, *to undergo*

subvention (f), *subsidy*

subventionner, *to subsidise*

succursale (f), *branch establishment*

suffir (suffi), *to be enough*

suivre (suivi), *follow*

suivre des cours (de), *to take courses (in)*

support (m), *aid, medium*

supporter, *to stand, put up with*

supprimer, *to do away with, to get rid of*

sur le champ, *immediately, on the spot*

surchauffe (f), *overheating*

surdité (f), *deafness*

surface (f): grandes surfaces, *super/ hypermarkets*

surmené, *overworked, under strain*

surprendre (surpris), *to surprise*

survenir (survenu), *to occur*

survie (f), *survival*

susceptible (de), *liable (to)*

susciter, *to bring about*

syndicat (m), *trades union*

syndicat d'initiative, *tourist information bureau*

syndiqué (adj or n), *belonging to a union, union member*

T.V.A. (f), taxe à la valeur ajoutée, *V.A.T.*

table de cuisson (f), *hob (cooker)*

tâche (f), *task*

taille (f), *size, waist*

tailleur (m), *lady's suit*

tandis que, *whereas*

tant mieux, *all the better*

tant pis, *never mind (too bad)*

tant que, *as long as*

taper, *to type, to print*

tard, *late;* tarder à, *to put off, delay;* il ne va pas tarder, *he won't be long*

tarif (m), *price list*

taux (m), *rate;* taux d'escompte, *bank rate;* taux d'échange, *exchange rate*

teinte (f), *colour, shade*

téléspectateur (m), *viewer (T.V.)*

tendre, *to hold out;* tendu, *stretched, tight,* tender (adj.), *tense*

tenir, *to hold, keep (a shop etc.)*

tentative (f), *attempt*

tenter, *to tempt;* tenter (de), *to attempt to*

terrain (m), *ground, field*

terroir (m), *soil;* (vin du), *farm produced (wine)*

tête (f), *head*

thalossothérapie (f), *sea water therapy*

tiers (m), *third*

tir (m), *shooting, firing (of a weapon);* champ (m) de tir, *firing range*

tirage (m), *circulation (of a newspaper)*

tirer parti de, *to utilise*

tissu (m), *material*

titre (m), *title;* à juste titre, *rightly so*

tôt, *early*

toucher, *to affect, to receive (money)*

tour (f), *tower*

tour (m), *(round) trip*

Toussaint (f), *All Saints Day (1st Nov.)*

tout mettre (mis) en oeuvre, *to spare no effort, to do everything possible*

train (m) (d'une voiture), *axle assembly*

trait (m), *mark, characteristic, feature*

trait d'union, *link, hyphen*

traiter affaire, *to do business*

trajet (m), *journey*

tranquillité (f), *peace*

travailler à plein rendement, *to work to full capacity*

traversée (f), *crossing*

traverser, *to cross*

tricot (m), *knitwear*

trier, *to sort;* centre (m) de tri, *sorting office (post office)*

trimestre (m), *term*

trio de tête (m), *three leaders*

tromper (se), *to be mistaken*

trouver (se), *to find oneself, to be situated*

truchement (m), *interpreter, spokesman, instrument (of)*

ultra moderne, *completely up-to-date, latest*

unitaire (prix), *unit price*

usine (f), *factory*

utile, *useful*

utilisateur (m), *user*

utiliser, *to use*

V.P.C. (f), vente par correspondance, *mail order*

vacances (f.pl), *holiday*

valable, *valid*

valeur (f), *value, worth*

valoir (p.p. valu), *to be worth;* votre

voiture ne vaut pas la mienne, *your car isn't as good as mine.*
veau (m), *calf, calf-skin*
vedette (f), *star (media), addressee*
veille (f), *evening, day before*
vendeur (m), *salesman, sales assistant*
vendeuse (f), *sales assistant (female)*
vendre, *to sell;* se vendre bien, *to sell well (of products)*
verni, *patent (leather)*
verser, *to pay in*

viande (f), *meat*
vie (f) associative, *social life*
vieillir, *to grow old, to age*
vignoble (m), *vineyard*
vin (m), *wine*
viser, *to aim at*
visser, *to screw, to tighten (nuts)*
vitesse (f), *speed*
viticole, *wine producing*
vitrine (f), *shop window*
vivre (vécu), *to live*

voie (f), *track, way, road;* pays en voie de développement, *developing countries*
voir (vu) le jour, *to be born*
voiture de fonction, *company car*
volaille (f), *poultry*
volant (m), *steering wheel*
volonté (f), *will, volition*
volontiers, *gladly, willingly*
voyage (m), *trip, journey*
voyage de noces (m), *honeymoon*

Acknowledgments

The publishers would like to thank the following for permission to reproduce material in this volume:

Air France for their advertisement; Arcade Paris for 'Volet détachable'; Canal Plus for their logo; CIAT (UK) Ltd for their advertisement; La Cinq for their logo; *Décider* for 'La France en Europe'; *L'Entreprise* for 'Les jours fériés de L'Europe', No 42, February 1989, 'Les Bestsellers de l'électroménager', No 42, February 1989 and 'Cuisine en fête', No 41, January 1989; *L'Expansion* for 'Hôtels: marchandez le prix de vos chambres', 20 May/2 June, 1988, '2 étoiles–4 étoiles luxe', 20 May/2 June, 1988, 'Touristes à Paris', 15 April/5 May, 1988, 'Un bel essor', 16 February/1 March, 1989, 'La GB, troisième client de la France', 16/29 March, 1988, Peugeot SA and Renault advertisements, 1/14 July, 1988, 'Quelles sont les voitures de fonction?', 9/20 September, 1988, 'La France en 2010', 17/30 June, 1988, 'La reprise du bâtiment se confirme', 20 May/2 June, 1988, 'Quel est le principal critère entrant dans le choix de votre premier emploi?', 3/16 June, 1988, 'Chômage au féminin', 30 March/12 April, 1989, 'La pub en fête!', 4/17 March, 1988, 'SOS Industrie', 2/15 March, 1989 and 'Comment paient les autres', 2/15 March, 1989; Finaref for 'Carte Kangourou'; M6 Metropole Télévision for their logo; *Messages des PTT* for 'Minitel bats ses records', No 358, July–August 1986; Michelin Tyre Plc for their letterhead; The New York Times for 'Les lecteurs au rendez-vous' from *L'Express*, 17 June, 1988 and 'Les villes et les réseaux câblés à la fin de 1988' from *L'Express*, 28 October, 1988; Packtable for 'Commerciaux exclusifs'; Parly 2 for 'Deux minutes pour aller du printemps au BHV dans le plus élégant centre commercial d'Europe' and '6 Pieces 125 m²'; *Le Point* for 'Inflation: le coup français', No 853, 23 January, 1989, 'Grèves et lock-out', No 866, 24 April, 1989, 'L'ardoise anglaise', No 861, 20 March, 1989, 'Grandes surfaces', No 864, 10 April, 1989 and 'Logement: des hauts et des bas', No 856, 13 February, 1989; Punch Publications Ltd for 2 cartoons; Quaker France for their letterhead; Société Nationale de Programme France Région 3 for their logo; Société Nationale de Télévision en Couleur Antenne 2 for the television logo for A2; Société de Télévision Française 1 for the television logo for T.F.1.; Systems Publishers (Pty) Ltd for 'Consommation: forces et faiblesses des produits français à l'étranger' from *Marketing Mix*, No 23, June 1988.

Every effort has been made to trace and acknowledge ownership of copyright. The publishers will be glad to make suitable arrangements with any copyright holders whom it has not been possible to contact.

The authors and publishers would also like to thank the following for permission to reproduce photographs: Cephas Picture Library, pp. 31, 69; CIAT, p. 52; Documentation française, pp. 9, 95; J. Allan Cash, pp. 30, 40; Réseau National des Usines Renault, p. 152.

British Library Cataloguing in Publication Data

Bower, Malcolm
   French for business. – 3rd. ed.
   1. French language. Business French
   I. Title II. Barbarin, Lucette
   808'.066651041

ISBN 0 340 51842 1

First published 1977
Second edition 1981
Third edition 1990

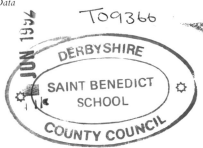

Typeset by Gecko Ltd, Bicester.
Printed in Great Britain for the educational publishing division of Hodder and Stoughton Ltd, Mill Road, Dunton Green, Sevenoaks, Kent by St Edmundsbury Press Ltd, Bury St Edmunds, Suffolk

French for
BUSINESS

Third Edition

Malcolm Bower
of Modern Languages
of Further Education

Lucette Barbarin
Associate Lecturer
...lytechnic South West

Hodder & Stoughton

LONDON SYDNEY AUCKLAND TORONTO